Téléportation et tours jumelles

DE LA MÊME AUTEURE

iPod et minijupe au 18e siècle
Ottawa, Éditions David, 2011.

Culotte et redingote au 21e siècle
Ottawa, Éditions David, 2012.

Bastille et dynamite
Ottawa, Éditions David, 2015.

Louise Royer

Téléportation
et tours jumelles

ROMAN

David

Catalogage avant publication de Bibliothèque et Archives Canada

Royer, Louise, 1957-, auteur
    Téléportation et tours jumelles / Louise Royer.

(14/18)
Publié en formats imprimé(s) et électronique(s).
ISBN 978-2-89597-651-6 (couverture souple). —
ISBN 978-2-89597-675-2 (PDF). —
ISBN 978-2-89597-676-9 (EPUB)

    I. Titre. II. Collection : 14/18

PS8635.O956T45 2018   jC843'.6   C2018-901847-X
                                        C2018-901848-8

Les Éditions David remercient le Conseil des arts du Canada,
le Bureau des arts francophones du Conseil des arts de l'Ontario,
la Ville d'Ottawa et le gouvernement du Canada par l'entremise du
Fonds du livre du Canada.

Les Éditions David
335-B, rue Cumberland, Ottawa (Ontario) K1N 7J3
Téléphone : 613-695-3339 | Télécopieur : 613-695-3334
info@editionsdavid.com | www.editionsdavid.com

À la mémoire des milliers de victimes
de la tragédie du 11 septembre 2001.

CHAPITRE 1

Californie, le 13 août 2001

— Hé! Qu'est-ce que c'est que cela? s'écrie Rajiv.

L'exclamation arrache le regard du spécialiste de sa console pour le diriger vers son collaborateur en état de stupéfaction, les yeux rivés sur la fenêtre panoramique qui sépare la salle de contrôle de la salle de transfert. Le Dr Mansfield y fait ricocher son attention et l'arrête sur les étincelles confinées à une demi-sphère, qui fourmillent et se multiplient derrière la vitre. L'expression sur son visage imite bientôt celle de son collègue.

— Êtes-vous en train de tenter un transfert?

— Absolument pas!

Le Dr Mansfield ose regarder les consoles un instant pour vérifier la véracité de cette affirmation. Tout est parfaitement éteint, à part les programmes de routine sur lesquels les deux hommes travaillaient.

— Le centre devient plus dense, commente Rajiv.

D'une rapide pression du doigt, Mansfield allume le système de communication entre les deux salles et un grésillement vient s'ajouter au phénomène. Impuissants à intervenir, ils assistent à l'apparition progressive d'un cylindre assujetti d'un dôme, une vision à la R2D2.

— Avons-nous été déplacés sur le plateau de tournage d'un film de la guerre des étoiles sans nous en rendre compte ? plaisante Rajiv.

L'autre ne montre aucun signe comme quoi il aurait entendu la blague. Les deux hommes sursautent lorsqu'une voix les surprend :

— Je me nomme HECTOR Junior. Je suis en reconnaissance pour le projet Philo. Ma mission est pacifique. Je me nomme HECTOR Junior. Je suis en reconnaissance…

La répétition est interrompue. Le robot fait une pause avant de reprendre :

— Ai-je l'honneur de m'adresser au docteur Sandhu ?

Les deux scientifiques échangent un regard interloqué.

— Je suis équipé d'un programme d'identification des visages et des voix. Ai-je l'honneur de m'adresser au docteur Sandhu ?

Rajiv ne sait que penser et reste muet.

— Ai-je l'honneur de m'adresser au docteur Sandhu ? entonne de nouveau le robot.

Rajiv acquiesce rapidement pour éviter un retour de la question et enchaîne :

— Qui t'a envoyé ici ?

Estimant avoir déjà répondu, le robot passe à la prochaine étape dans l'organigramme de sa programmation :

— Ma mission est de recueillir le plus d'information possible sur l'époque et les lieux où je me trouve. Quels sont le jour, le mois et l'année à cet instant précis ?

— Le 13 août 2001, répond Rajiv, par automatisme.

— Docteur Sandhu, taisez-vous ! Vous n'êtes pas obligé de répondre à ses questions !

— En accord avec la résolution numéro 2 de l'édit 203, tout le personnel du projet Philo est tenu de me venir en aide, insiste HECTOR.

— De quoi diable parle-t-il ? s'exclame Rajiv.

— Il est grand temps que j'avertisse la sécurité, conclut son compagnon, en appuyant sur l'intercom.

Le mot « sécurité » semble avoir déclenché une frénésie chez le robot qui frétille sur place comme s'il avait soudainement besoin d'aller au petit coin.

— Attention, gardez vos distances. Danger ! Attention, gardez vos distances, Danger ! scande HECTOR, à haut volume.

Quelques secondes plus tard, un siphon d'étincelles le masque aux regards atterrés des chercheurs. La dernière escarbille s'éteint dans le vide, lorsque deux agents de la sécurité font irruption dans la salle de contrôle. Sans preuves d'un danger, le Dr Mansfield hésite à décrire les événements des dernières minutes à un tiers parti. Rajiv garde également le silence. Les gardes sont renvoyés à leur poste.

Après le déclic de la porte derrière eux, Rajiv est le premier à prendre la parole :

— Que dites-vous de cela ?

— C'est plutôt évident, n'est-ce-pas ? Quelqu'un a réussi à inventer la téléportation avant nous. Il l'utilise maintenant pour nous espionner.

— Qui peut avoir fait cela ? Et puis, cet HECTOR nous a dit être déployé par le projet Philo.

Sceptique, le Dr Mansfield pousse un soupir d'un coup sec.

— Je suis le directeur du projet Philo. Il me semble que si un tel robot avait été construit sous l'égide du projet, j'en aurais entendu parler.

— Et cette résolution numéro 2 de l'édit 203... Que voulait-il dire ? Il n'y a pas plus de cent cinquante édits.

Son interlocuteur balaie cette objection du revers de la main :

— Encore une absurdité !

— C'est comme s'il venait du futur, un futur où il y aurait au moins 203 édits pour réglementer le fonctionnement du projet Philo.

— Vous n'allez pas recommencer avec vos idioties !

— Je ne suis pas le seul à penser qu'on ne peut créer d'organismes vivants qu'en reproduisant une parcelle de l'univers ayant déjà existé, s'offusque le Dr Sandhu.

— Et moi, je vous répète que ce ne sont que chimères et divagations. Pensez-y un peu ! Si ce robot vient du futur, cela veut dire que nous vivons présentement dans une simulation du passé. Croyez-vous vraiment que ce qui nous entoure n'est pas la réalité ? Que nos faits et gestes sont emmagasinés dans la mémoire d'un ordinateur afin d'être utilisés comme conditions aux limites d'un petit volume réel ? Vraiment, vous lisez trop de romans de science-fiction !

Ce n'est pas la première fois que Rajiv se fait rabrouer de la sorte par son supérieur. Il a donc appris à ne partager ses théories qu'avec d'autres membres du personnel, plus réceptifs à ses idées révolutionnaires.

— Notre mandat est beaucoup moins ambitieux et non moins extraordinaire, continue le directeur. Je vous dis que nous réussirons à reproduire la vie, mais sans recréer son environnement. Nos adversaires ont dû apprendre cette théorie que vous entretenez et s'en servent pour vous confondre et pour obtenir votre collaboration. Ne soyez pas si crédule. La prochaine fois qu'ils essaient de téléporter quoi que ce soit dans notre centre de recherche, nous serons prêts à le capturer.

CHAPITRE 2

Côte d'Azur, le 15 juillet 2023

— Jake ! Quelle belle surprise ! s'exclame Sophie, ravie. Je ne savais pas que tu te joignais à nous. Les enfants vont...

— Tonton Jake ! l'interrompent lesdits enfants, en passant en trombe de chaque côté d'elle avant de se jeter dans les bras du géant qui vient de s'extirper de sa voiture de location.

Seul Olivier, avec la maturité de ses onze ans, ne montre pas autant d'exubérance. Il se soumet toutefois, l'air réjoui, à une poignée de main rituelle qui se termine par une rencontre des jointures.

— Maman ne nous a pas dit que tu venais, s'étonne Gabi, le frère d'Olivier, de deux ans son cadet.

— Votre maman n'était pas au courant. Mike a insisté pour que je me joigne à vous tous pendant deux jours.

Faisant la bise à la jolie brunette qui l'a accueilli, il ajoute :

— Mike m'a assuré que cette villa que vous louez tous ensemble pour vos vacances est assez grande pour abriter une personne de plus.

— Sans problème, reconnaît Sophie. Elle possède six chambres. Nous venons tout juste d'en faire le tour. Cela fait à peine trois heures que nous sommes arrivés. Natalie peut très bien coucher dans celle de ses frères, pour une nuit. Il y a trois lits dans cette pièce-là. Et cela règle une dispute à savoir qui aura la sienne propre.

— Oh! je ne voudrais pas priver Nat de sa chambre à coucher, proteste Jake.

— Ne t'en fais pas, intervient la jumelle de Gabi. Je suis bien contente de te la passer, et pour toutes les deux semaines si tu veux!

— Je ne peux pas rester aussi longtemps. Je dois retourner à ma base, en Californie.

Nat fait la moue et s'accroche au bras de son oncle honorifique. Le titre lui a été alloué en raison de sa profonde amitié pour ses parents. Il n'y a aucun lien de sang entre eux. Et puis, elle n'en est pas à un oncle près qui n'en soit pas vraiment un. Mike et Tati Shannon, par exemple. Il y a aussi tous les frères et sœurs du sosie de son père. Dans toute cette parenté élargie, Jake se distingue en ayant la carrière la plus excitante. Américain, il est soldat d'élite ou Navy SEAL, dans une division de la marine datant de la Deuxième Guerre mondiale et nommée d'après ses commandos d'hommes-grenouilles. La fillette n'a jamais compris comment ses parents ont fait sa connaissance, mais elle ne s'en soucie guère. Elle a toujours admiré cet oncle aux larges épaules et à la force incroyable.

— Tu es ici maintenant et je ne te lâche pas, le prévient Natalie. Viens que je te fasse visiter la villa et les alentours.

— Laisse-moi d'abord saluer ton père, proteste Jake.

Le marin étreint dans une franche accolade un homme aux yeux d'un vert étonnamment pâle et captivant.

— François, je suis heureux de voir que tu as l'air en pleine forme.

— Ouais, je ne peux pas en dire autant de Mike, lui répond le père des jumeaux, en se retournant vers le couple arrivé dans la même voiture que Jake et qui se joint à eux maintenant.

L'homme ainsi désigné a en effet les yeux cernés et une peau blême et flasque, qui trahit une perte de poids et de tonus musculaire. Il offre tout un contraste avec l'époux de Sophie qui, quoique dans la trentaine, ne révèle aucun indice d'avoir atteint cet âge.

— Cesse tes inquiétudes de mère-poule. Oui, j'ai besoin de vacances. N'est-ce pas la raison pour laquelle nous sommes tous ici ? Et puis, dois-je te rappeler ce que c'est que d'avoir un bébé d'un an ? Les nuits morcelées et le menu à la caféine ?

Pour adoucir l'impact de ses mots, Mike caresse doucement la joue de sa fille, Abiguail, qui, dans les bras de sa mère, se tortille pour se libérer et retourner expérimenter son nouveau moyen de locomotion à seulement deux points d'appui. Sa sœur aînée, Sandra, a rejoint sa « cousine » préférée et approuve le plan d'explorer le jardin avec elle, Olivier, Gabi et Jake. En vertu de ses six ans, la petite a le privilège de le faire à partir du belvédère des épaules de Jake.

Après la désertion des enfants derrière leur joueur de flûte de Hamelin, le reste des adultes s'active à rentrer les valises, puis à rendre le tire-bouchon utile. Ils s'assoient ensuite sur le patio pour admirer la vivacité du jeu de cachette orchestré par Jake, dans l'immense verger qui sert de cour arrière. La Méditerranée étend son filet bleu en arrière-plan.

Chaque couple contemple sa progéniture pendant un instant. Aucun des enfants de Sophie et François n'exhibe le vert des prunelles de leur père, le hasard de la génétique ayant préféré la teinte noisette de celles de leur mère. Les cheveux blonds d'Olivier copient la pigmentation de ceux de François tandis que ceux des jumeaux s'approchent davantage du ton châtain de ceux de Sophie. Par contre, le maintien et la prestance des cadets ne manquent jamais d'évoquer leur hérédité paternelle. Sandra, quant à elle, nuance de son essence féminine une ressemblance frappante avec Mike.

— Alors quoi de neuf de votre côté ? s'enquiert François, pour lancer la conversation.

— Tu veux dire à part cette petite boule d'énergie, lui répond Shannon, en prenant sa fille en filature et en s'abstenant de dévoiler la nouvelle importante que Mike tient à révéler lui-même.

— Cela et autre chose. Il y avait une foule de photos d'Abiguail sur votre site, des dizaines de Sandra, quelques-unes de toi, Shannon, surtout en train de tenir le bébé. Il y avait aussi une rare photo de Mike.

— Je suis souvent le photographe, se défend Mike. Et j'ai été très absorbé par le travail.

— Si nous n'avions pas prévu ces vacances depuis un an, j'aurais eu bien de la peine à l'arracher à son cher projet Philo, se plaint Shannon. À croire qu'il est à la tête d'une organisation qui ne peut se passer de lui.

En son for intérieur, Mike entretient justement cette notion, mais se garde d'exprimer sa pensée tout haut. Le caractère explosif de ce sujet s'apparente à un champ de mines. Il lui faudra bien le traverser à un moment donné mais, pour le moment, il préfère dévier la conversation :

— Est-ce que vos enfants ignorent encore le passé de leur père ? demande-t-il. N'avez-vous jamais laissé tomber par erreur des indices qui les auraient intrigués ?

Sophie fait semblant de chercher dans sa mémoire, puis suggère :

— Tu veux dire : a-t-on laissé échapper des phrases comme : « Même si tu étais un aristocrate sous l'ancien régime, les vidanges ont besoin d'être apportées au bord de la rue ? » Ou peut-être : « Il fait si froid ici, cela me rappelle la Bastille. »

Mike pousse un court éclat de rire.

— Oui, quelque chose du genre.

— Non, je crois qu'ils ne se doutent de rien, dit François. Cela fait belle lurette que je ne commets plus d'anachronismes et près de cinq ans que nous ne dépendons plus de la générosité du projet Philo. Mon travail d'ingénieur pourvoie parfaitement à nos besoins.

— Tu oublies qu'à travers les projets de recherche que Sophie dirige à l'université, vous êtes encore dans la boucle, réplique Mike.

Sophie s'indigne quelque peu :

— Oui, mais je suis rémunérée pour mon travail en tant que professeure de physique et non plus subventionnée discrètement dans le cadre du programme de protection des témoins.

— Loin de moi l'idée de me plaindre que tu sois encore partiellement impliquée dans le projet, s'excuse Mike. Ta contribution nous est très utile. Je ne faisais qu'admirer les pouvoirs d'adaptation de François. C'est tout. Il ne reste plus en lui de traces de l'homme du 18e siècle.

— Pas depuis que les brûlures au fer chaud, petits cadeaux du bourreau de Louis XV, ont été effacées par chirurgie plastique, se remémore François. J'espère seulement que le peu de personnes qui les ont vues avant l'opération ne se sont pas posé trop de questions.

— En douze ans, pas le moindre détail du projet Philo n'a été dévoilé à la presse. Même tes enfants n'en savent rien. Cela devrait te rassurer. Comptez-vous leur en parler à un moment donné ?

Le couple échange un regard qui sous-tend une conversation muette. François s'en fait le porte-parole :

— Je ne sais pas. Je présume que ce pourrait être lorsqu'ils atteindront l'âge adulte. Et toi, as-tu jamais l'intention de révéler à Sandra et Abiguail la nature du projet que tu diriges ?

Mike laisse son regard aller vers la moitié de sa progéniture dont la cachette précaire vient d'être découverte par Jake. Des cris de joie et de surprise donnent le signal d'une course effrénée vers le but. Le Navy SEAL fait mine de courir les pieds entravés par une corde pour offrir à la gamine une chance de salut. Elle lui échappe de justesse. Souriant, Mike revient à question :

— Je crois que, tôt ou tard, les circonstances vont m'obliger à le leur dire. La décision ne m'appartient pas complètement.

Et comme sa réponse sonne quelque peu macabre et sombre, il rajuste un air joyeux sur ses traits et déclare :

— Il y a par contre quelque chose que je brûle de vous apprendre.

L'éclat dans les yeux du chercheur est tel qu'il enflamme la curiosité de ses amis. Mike prend une longue respiration qui laisse tous les autres hors d'haleine et déclame :

— Après douze ans d'échecs, je suis heureux de vous annoncer que nous avons initialisé une nouvelle simulation.

— Chut ! Ne parle pas si fort, murmure Sophie. Je ne veux pas que les enfants t'entendent. Ils n'ont pas encore atteint leur majorité.

Tous les adultes font un rapide inventaire de leur marmaille dans le jardin et mesurent la distance qui les sépare.

— Bof, ils sont loin et complètement absorbés à tenter de surprendre Jake, constate Mike.

— Revenons-en à cette nouvelle simulation, coupe Sophie dans un souffle. Bravo, je t'en félicite. Tu dois être tellement soulagé. Tant d'efforts ! Peut-on savoir dans quel siècle elle a été initialisée, cette fois ?

— Le 21e siècle, tel que prévu bien sûr, répond Mike, offusqué que ses interlocuteurs imaginent qu'il puisse en être autrement.

Il ajoute, un peu penaud :

— En fait, nous avons manqué notre cible par environ vingt ans. C'est tout de même un ordre de grandeur moindre que dans notre première simulation ! Nous visions 2022 et notre première incursion dans la simulation révèle qu'il s'agit de 2001.

Pour minimiser cette bévue, Mike enchaîne tout de suite avec un exemple de réussite :

— Par contre, le point d'insertion spatiale a fonctionné à merveille. Nous avions choisi d'envoyer HECTOR Junior dans la salle de transfert d'une simulation du passé. À cet effet, nous avions gardé la nôtre entièrement vide pendant toute l'année 2022. En choisissant ce lieu comme espace interne, nous savions que les seules personnes qui seraient témoins de la téléportation seraient des scientifiques déjà au courant de cette possibilité. En fait, nous avions prévu un tas de repères pour faciliter la mission d'HECTOR, s'il s'avérait que nous vivions nous-même dans une simulation. Une immense horloge numérique a été installée en 2021 pour que toute personne téléportée dans notre salle de transfert sache la date dès son arrivée.

Cette longue tirade semble avoir épuisé Mike qui arrête sa narration.

— Et puis ? le presse Sophie,

— Et puis quoi ?

— Vivons-nous dans une simulation ?

— Rien ne l'indique. À notre connaissance, rien venant du futur n'a été téléporté dans notre monde. Comme vous le savez, dans une simulation qui fonctionne sans avarie, la réalité semble aussi réelle que la vraie. Tout ce que je peux vous dire, c'est qu'HECTOR n'est pas soudainement apparu dans la salle de transfert de 2022.

Sophie respire mieux, même si le fait qu'aucune apparition venant du futur n'ait été détectée ne prouve en rien qu'ils ne vivent pas dans une simulation.

— Bref, vous avez maintenant une simulation de 2001, dont l'espace interne est centré dans la salle de transfert, récapitule François. Quelle est la prochaine étape ?

— Y envoyer quelqu'un.

François ne peut empêcher la surprise et l'appréhension de prendre possession de ses traits.

Mike partage les mêmes soucis en ce qui concerne la stabilité de la simulation. Toute personne simulée ou insérée à partir du futur cesserait d'exister si l'ordinateur avait une défaillance quelconque.

— Oui, je sais. Il est dangereux d'envoyer des humains dans une simulation aussi jeune et peu testée, admet Mike. Malheureusement, il n'y a pas de temps à perdre. Plusieurs membres du comité de direction du projet Philo, qui comprend des haut-gradés du Pentagone, sont maintenant intéressés à étudier la période juste avant l'attaque terroriste à New York. Il ne reste que trois semaines, car la simulation a été initialisée en août 2001.

François ose à peine poser la prochaine question, car il se doute de la réponse :

— Qui comptes-tu y envoyer ?

— Jake et son équipe de Navy SEALS dans un premier temps, répond Mike. Cela fait des années qu'ils s'entraînent. C'est un peu la raison pour laquelle je l'ai invité à se joindre à nous. J'ai encore quelques détails à régler avec lui.

— Ah! Il me semblait bien que tu ne pourrais passer deux semaines sans penser boulot! se désole Shannon.

— Quel est le but de leur mission ? continue François.

— Il ne manque pas de mystères à élucider en relation avec cet attentat : l'identité d'un vingtième terroriste, la possibilité que les tours aient été détruites par des explosifs, les données sismiques qui ne correspondraient pas à la séquence officielle des événements. Mais avant tout, Jake doit amadouer le docteur Mansfield, directeur du projet Philo à l'époque.

— Ah ! Ce ne sera pas une mince affaire, commente Sophie. Il serait plus facile de convaincre un ours de faire la révérence.

*   *
*

Jake s'éponge le front de la main pour endiguer le flot de sueur qui lui irrite les yeux.

— Assez, vous m'avez épuisé, tente-t-il comme excuse.

— Ce n'est pas vrai, raisonne Gabi. Tu nous as déjà dit que tu peux courir pendant des heures avec un gros sac sur le dos. Alors, quelques sprints entre des arbres pendant une demi-heure ne vont pas t'épuiser.

— Touché ! Cela m'apprendra à tant me vanter. N'empêche que je dois me partager entre vous et vos parents. Je ne veux pas faire de jaloux. De toute façon, je suis certain que vous pouvez jouer à la cachette sans moi. Allez !

Les quatre enfants regardent le centre de leur univers s'éloigner en direction de la terrasse et tomber dans un trou noir. Même si au début de la journée, ils n'avaient pas prévu l'avoir comme compagnon de jeu, ils imaginent mal maintenant s'amuser sans lui.

— Pourquoi ne jouons-nous pas à être des Navy SEALS ? propose Gabi, le premier à s'extraire de ce bourbier.

— Quelle serait notre mission ? demande Olivier.

— Vous voyez cette villa là-bas, elle est pleine de terroristes qui complotent pour faire sauter la planète.

Pour ne pas être laissée pour compte, Natalie insère sa contribution au tableau :

— Et qui détiennent en otage une journaliste.

— Ah non ! Pourquoi faut-il qu'il y ait toujours une fille en détresse dans tes histoires ! se plaint Gabi.

— Elle n'est pas en détresse, s'offusque Nat. Elle… Elle a un plan de fuite, mais ne veut pas partir avant d'avoir découvert tous les secrets des terroristes. Voilà.

— Elle s'appelle Rapunzel et elle a de très longs cheveux, précise Sandra.

Les trois autres enfants dévisagent la benjamine, hésitant quelque peu à insérer ce nouveau renseignement dans leur scénario.

— Elle est vraiment une prisonnière, insiste la gamine. Elle est enfermée au fond de ma valise, dans la chambre bleue au deuxième étage.

— Les filles, pourquoi n'allez-vous pas sauver Rapunzel, la journaliste, avant qu'elle ne s'asphyxie dans cette valise ? enchaîne Olivier. Gabi et moi allons déterminer la nature du complot. Attention, ne vous faites pas remarquer par les terroristes. On se rencontre ici dans une demi-heure pour faire le point. Bonne chance.

Les quatre enfants séparent leurs effectifs en deux colonnes et se réfugient derrière des bosquets.

— Commandant, avez-vous une idée de comment approcher les tangos[1] ? chuchote Gabi dans l'oreille de son frère.

---

1. Dans l'alphabet phonétique de l'OTAN, utilisé comme alphabet international en radiocommunication, le mot *Tango* désigne la lettre *T*. Dans un contexte militaire, il peut aussi signifier une cible (de l'anglais *target*) ou plus particulièrement un terroriste (Source : Wikipedia).

— Oui, j'ai repéré une faille dans le mur de la terrasse qui permet, je crois, d'aller sous le plancher du patio. On va pouvoir les espionner sans qu'ils nous découvrent.

CHAPITRE 3

Californie, le 23 juillet 2023

Jake se tient bien droit au milieu de la salle de transfert, un innocent sac de sport à ses pieds. Il croit détenir le record mondial du plus grand nombre de téléportations. Il a donc l'habitude de l'éblouissement du siphon d'étincelles qui le fait apparaître instantanément ailleurs sur la planète.

À plusieurs reprises, des déploiements rapides et secrets ont justifié que le gouvernement fasse appel à son équipe de Navy SEALS afin qu'elle soit transportée à la vitesse de la lumière en plein cœur d'un camp ennemi ou à un endroit difficile d'accès par locomotion conventionnelle. Aujourd'hui, il ne se déplacera pas très loin, juste quelques étages plus bas dans le centre de recherche souterrain, dans un espace semi-sphérique connu des initiés sous le nom d'espace interne. Ce lieu est complètement entouré de transformateurs énergie-matière et sert à reproduire le contenu d'un petit volume d'univers passé. Il sert de point d'entrée dans la simulation.

Jake s'oblige à respirer lentement pour freiner l'emballement de son cœur. Il se remémore sa première mission dans le cadre du projet Philo, la plus mémorable. On lui avait demandé d'élaborer et d'exécuter un plan d'évasion pour un noble incarcéré à la Bastille, la célèbre prison détruite pendant la Révolution française en 1789. En comparaison, aboutir en 2001, sur les talons d'HECTOR, manque quelque peu de dépaysement. Si l'initiation avait fonctionné sans anicroche, il aurait reculé d'une année seulement. Pas de quoi s'énerver.

Il reçoit enfin le signal du départ. Il n'a plus le temps de s'inquiéter, car les étincelles tourbillonnent bientôt devant ses yeux telles une rafale de neige. L'espace d'un moment, tout est lumière. Peu à peu, l'intensité diminue et il commence à entrevoir la fenêtre panoramique derrière la brume évanescente. D'abord, il croit que le transfert n'a pas réussi. Il discerne les mêmes vieilles chaises en arrière des consoles. Il lui faut une seconde pour remarquer que les sièges ne sont pas si vieux, après tout. « Diable ! Ils utilisent le même ameublement depuis plus de vingt ans », songe-t-il.

Il se fustige de perdre son temps sur des détails aussi insignifiants et se force à absorber une vue d'ensemble. Il remarque l'absence de l'énorme horloge numérique et la présence du Dr Sandhu dans la salle de contrôle. La prochaine fois qu'il verra Rajiv en 2023, il lui faudra le taquiner à propos de cette crinière qu'il affichait quand il était plus jeune.

*　　*

*

Le Dr Mansfield interrompt momentanément la force de contact avec sa chaise en entendant la sirène d'alarme. Il fixe tout de suite le moniteur qui affiche en continu la surveillance de la salle de contrôle et de la salle de transfert. Il constate qu'un inconnu de haute taille achève de se matérialiser derrière la cloison vitrée.

Il part à la course, une activité à laquelle il ne s'est pas adonné depuis son adolescence, quelque quarante ans plus tôt. Et même dans ce temps-là, il n'en était pas très friand. Il arrive donc dans la salle de contrôle à bout de souffle, ce qui l'empêche de faire la conversation. Il y découvre un Dr Sandhu en palabres avec le nouvel arrivant, en parfaite opposition aux directives dûment établies. Comme convenu, les sonneries ne résonnent pas ici, afin de ne pas alarmer l'intrus. Les yeux de l'individu se sont tournés vers lui.

— Docteur Mansfield, permettez-moi de me présenter. Je suis le lieutenant Jacob Stanford, chef de l'équipe de Navy SEALS numéro quatre. Nous sommes spécifiquement affectés au projet Philo. Je fais donc partie de l'organisation dont vous êtes le directeur. Puis-je me permettre de vous expliquer la raison de mon intrusion dans votre centre de recherche ?

Pour toute réponse, le Dr Mansfield appuie sur un interrupteur. Jake devine, plus qu'il ne la sent, l'augmentation de ventilation dans la salle de transfert et sait que l'air est maintenant progressivement imprégné de soporifique.

CHAPITRE 4

Côte d'Azur, le 15 juillet 2023

Même si les deux enfants doivent parcourir une assez longue distance à découvert, les terroristes ne semblent pas les repérer. Gabi imite son frère en tous points. Ensemble, ils empruntent un large détour en territoire hostile (le terrain du voisin) et ils évitent les crocs puissants des chiens de garde (le frénétique chihuahua du même voisin et la curiosité affectueuse de Louis XV, leur propre épagneul breton). Ils n'en aboutissent pas moins le long du côté ouest de la maison, à l'abri des regards. Derrière un buisson quelque peu épineux, le commandant révèle à son subalterne un grillage mal attaché derrière lequel ils se faufilent sans peine.

L'espace entre le plancher de la terrasse et la terre ferme est suffisant pour permettre aux deux éclaireurs de ramper sans bruit vers l'endroit où les adultes sirotent leur apéritif. L'effet de cette locomotion risque de leur attirer les foudres du sergent chargé de la lessive. De minces filets de lumière marquent la juxtaposition des planches. Ils s'arrêtent sous les terroristes et comprennent, à des bruits de pas, que Jake vient de rejoindre ses complices.

— Ouf, fait celui-ci en se laissant tomber sur une chaise, un verre à la main. C'est nettement plus confortable. J'aurais dû me changer avant de me mettre à courir en pantalon sous un soleil de plomb.

Après un court gloussement de rire, François précise :

— Tu n'es pas obligé de te soumettre aux caprices des enfants, tu sais.

— Cela ne me dérange pas. C'est un plaisir de jouer avec eux et j'ai si peu l'occasion de le faire.

Les deux Navy SEALS sous le patio échangent un regard.

— Ouais, occupé que tu es à aider un diplomate américain à s'échapper de la Corée du nord, n'est-ce pas ? insinue François.

— Qu'est ce qui te fait croire que j'ai trempé dans cette histoire-là ?

La question est toutefois accompagnée d'un sourire en coin.

— Je ne sais pas, moi. Une évasion mystérieuse à partir d'une prison inaccessible au cœur de la Corée. Un rescapé qui ne se souvient de rien entre le moment où il a vu un soldat masqué entrer dans sa cellule et celui de son réveil dans un hôpital militaire en Californie. Ça sent la téléportation à plein nez.

Jake part d'un rire franc et regarde Mike qui se tient coi. Les enfants sous lui froncent les sourcils.

— Tout ce que je peux dire, c'est que j'ai prêté serment de ne rien révéler. Libre à toi d'imaginer ce que tu veux.

— Par contre, Mike vient tout juste de nous faire part du but de ta prochaine mission, intercale Sophie.

Jake détecte un mouvement affirmatif de la tête chez le chercheur. Les enfants sont maintenant sur le qui-vive, attentifs à la moindre syllabe qui se faufilera entre les planches.

— Bien, car je voulais avoir votre avis sur la manière d'aborder le docteur Mansfield. Vous avez eu affaire à lui, n'est-ce pas ?

— Malheureusement oui, soupire François. À l'époque, il tenait mordicus à garder le contrôle du projet et n'acceptait aucune suggestion qui ne s'accordait pas à sa vision des choses. Au point de ne pas aviser ses supérieurs s'il croyait qu'ils lui mettraient les bâtons dans les roues. La confidentialité du projet était pour lui primordiale.

— Il avait besoin de tout mener, renchérit Sophie. Si tu peux lui donner l'impression qu'il dirige tout, il voudra peut-être collaborer. Tu pourrais même lui faire croire que ton plan était son idée ! Comptes-tu le prévenir de l'attaque contre le World Trade Center qui aura lieu quelques semaines plus tard ?

Les paupières d'Olivier et de Gabi dévoilent complètement le blanc de leurs yeux.

— Non, continue Jake. Il pourrait se sentir obligé d'en avertir le Pentagone. Il est impératif que rien n'entrave ce qui est prévu. Le moins il en saura, le mieux ce sera.

— En passant, sa méthode favorite d'accueillir les gens, c'est de les endormir.

— Oui, Sophie. Mike m'a déjà prévenu.

— Où sont passés les enfants ? s'inquiète Shannon. Je ne les vois plus !

CHAPITRE 5

Californie, le 28 août 2001

Tout en retenant sa respiration, Jake s'empare du masque qu'il gardait à portée de la main dans son sac de voyage. Après un soupir légèrement exaspéré, il reprend la conversation :

— Docteur Mansfield, comme vous le voyez, j'avais prévu que vous injecteriez un gaz soporifique dans l'air de la salle de transfert. Je présume également qu'après m'avoir endormi, vous comptiez me faire subir un interrogatoire sous sérum de vérité, ce tout nouveau produit dont l'existence n'est pas connue en dehors du bureau central d'intelligence.

— Qui est le traître qui vous a donné tous ces renseignements super-confidentiels ? s'insurge le Dr Mansfield, avec le peu de souffle qu'il a récupéré.

— C'est vous-même qui m'avez décrit en détail les procédures qui seraient mises en place en cas de téléportation imprévue, répond Jake, heureux que le masque cache le sourire moqueur qu'il ne peut complètement retenir.

— Je ne vous ai jamais vu ! C'est de la diffamation pure et simple.

— Il est vrai que vous ne me connaissez pas encore, car notre rencontre n'aura lieu que dans quelques années.

Cette affirmation draine de son sang les joues du Dr Mansfield, pourtant si colorées un instant auparavant.

— Que voulez-vous dire ?

— À ce stade de votre carrière, vous sous-estimez les possibilités du projet Philo. Éventuellement, vous réussirez à créer quelque chose de vivant, mais pour ce faire, il vous faudra reproduire le passé. La réalité dans laquelle vous évoluez maintenant est, en fait, une simulation du passé. Du moins le passé, pour moi.

— Je le savais, jubile le Dr Sandhu en faisant un signe de victoire avec son poing.

Le regard sévère décoché par le Dr Mansfield étanche l'expression de joie de Rajiv. Ses traits reprennent une attitude sérieuse et professionnelle.

— Je ne nie pas que vous veniez d'être téléporté sur une distance plus grande que l'étendue de mon centre de recherche, cède le directeur. De plus, à ce que je vois, l'organisation qui vous envoie a réussi à téléporter des êtres vivants. Cependant, rien ne prouve que vous surgissiez du futur, comme vous le prétendez.

— Laissez-moi vous montrer les preuves que j'ai avec moi. Pourrait-il m'être permis de quitter cette pièce et de m'entretenir avec vous en privé ?

Le Dr Mansfield hésite à se soumettre à ce plan. Ne serait-il pas plus simple d'attendre que les réserves d'oxygène attachées à son masque s'épuisent. L'intrus serait alors obligé de respirer l'air de la salle de transfert. Il pourrait être capturé et soumis au sérum de vérité. Comme s'il pouvait lire dans ses pensées, Jake ajoute :

— Vous ne pouvez pas compter sur le sérum de vérité, car un antisérum a été développé, ce qui me permet d'y être immunisé. Je ne suis pas votre ennemi. Nous avons un but commun : celui de garder le projet Philo secret afin de conserver notre liberté d'action. C'est avec cet objectif en tête que nous avons choisi ce point d'entrée dans la simulation, sinon je risquais d'être téléporté par hasard devant des témoins totalement ignorants du projet. C'était votre suggestion.

— Vraiment ! Vous pouvez bien inventer des propos que j'aurais tenus selon vous.

« Pas si bête, ce type ! » songe Jake, avant de dire :

— Pensez-y bien. Ne voyez-vous pas la logique de choisir votre centre de recherche comme point d'entrée ?

— Je vois comment quelqu'un pourrait facilement arriver à cette conclusion, admet le Dr Mansfield, de mauvaise grâce.

Il actionne l'arrêt du soporifique et l'ouverture de la porte de la salle de transfert. Il ordonne aux soldats, déjà équipés de masques pour prendre la salle de transfert d'assaut, d'escorter l'intrus vers son bureau.

* *
*

— Il nous faudra attendre avant de pouvoir comparer tous ces journaux à ceux qui seront publiés dans les quatre prochains jours, fait le Dr Mansfield, en laissant tomber la pile de quotidiens sur le

bureau devant lui. Et toutes vos données météoro-
logiques et sismiques pourraient être le résultat de
simulations numériques à haute précision.

Une heure s'est déjà écoulée. Le bureau du
Dr Mansfield sert de *no man's land* entre les deux
hommes bien campés dans leurs tranchées. Des
salves d'arguments sont lancées de part et d'autre.

— Vous savez très bien que les modèles numériques conventionnels ne peuvent prédire l'empla-
cement et la magnitude d'un séisme des heures à
l'avance, réplique Jake. Pourtant, je viens de vous
donner la liste des tremblements de terre majeurs
qui auront lieu en octobre 2001. Le premier se pro-
duira dans la région du territoire de Guam, le 12.

— Pourquoi ne pas m'avoir apporté la liste des
tremblements de terre en septembre 2001 ? Nous
aurions eu moins longtemps à attendre.

— Parce qu'il n'y a pas eu de tremblements de
terre de magnitude 7 ou plus sur l'échelle Richter
en septembre. Pas de cyclone dévastateur non plus.
Les deux ouragans de catégorie 3 en septembre
n'ont pas fait de dommage.

— Bref, aucun événement notable en septembre
2001, n'est-ce pas ? conclut le docteur.

Jake s'applique à garder une expression neutre.

— Comme vous dites, acquiesce-t-il. Vous
n'avez pas besoin d'un désastre. Il vous suffira
d'étudier les maxima quotidiens de température
publiés dans le *San Francisco Chronicle* pendant
la prochaine année.

— Et vous affirmez qu'ils seront identiques à
vos prédictions ?

— Justement, c'est ce que nous voudrions vérifier. Nous en sommes au stade où, comme vous le
voyez, nous avons réussi une simulation du passé,

mais nous voudrions savoir à quel point elle est exacte et continue à l'être. Nous souhaitons vous associer à un programme de collecte de données en continu pour les comparer avec nos archives. Pour ce faire, nous tenons à ce que notre présence dans la simulation la perturbe le moins possible, pour qu'elle ressemble à notre passé. Il serait souhaitable de minimiser le nombre de personnes mises au courant de notre collaboration.

Ce souci de confidentialité touche une corde sensible dans l'âme du Dr Mansfield. Il essaie de se mettre dans la peau d'un autre lui-même dans quelques années. Un ambitieux, qui aurait le goût de soutirer le plus de bénéfices scientifiques de l'exploit de simuler le passé, sans les bâtons dans les roues de ses supérieurs. Il tient toutefois à donner un peu plus de solide aux propos fluides de son interlocuteur.

— Que voulez-vous dire par cela ?

— Je veux parler de vos supérieurs immédiats et des politiciens qu'ils servent. L'histoire a prouvé que leurs priorités n'incluent pas toujours le pur avancement de la science.

Même si d'emblée cette mascarade ne le rebute pas, Mansfield joue d'abord l'indigné :

— Vous n'y pensez pas ! Vous me demandez de mentir à mes employeurs ? Pourquoi ferais-je cela ?

— Pour assurer la survie de cette simulation, car voyez-vous, tant et aussi longtemps qu'elle existe, nous ne pouvons pas utiliser notre équipement pour en initier de nouvelles. Vous connaissez très bien l'envergure et le coût de l'infrastructure du projet Philo. Il faut plus qu'une décennie pour construire un centre de recherche. Et vous en avez un ici, presque prêt à réussir une simulation. Nous vous proposons de partager avec vous les découvertes des vingt-deux prochaines années et vous permettre ainsi d'éviter tous les échecs qui vont ralentir votre progrès. Nous estimons qu'en trois ans, nous pourrions vous amener à notre niveau pour qu'ensemble, nous puissions continuer à expérimenter de nouvelles simulations.

Cette explication laisse le directeur totalement ébahi et vaguement effrayé.

— Vous voulez étudier des simulations en dedans d'une simulation ? fait-il, avec circonspection.

— En quelque sorte. Avec des progrès aussi rapides, vous pourrez garder vos employeurs contents et prêts à vous subventionner. Nous vous demandons seulement de ne pas leur révéler votre source d'inspiration.

Un long silence permet au docteur de ruminer les possibilités dans les panses de son cerveau. Il est loin d'être convaincu et cherche la faille qui démolirait l'édifice des arguments de l'intrus. Une idée soudaine lui fait dire :

— Pourquoi ne pas m'avoir apporté une vidéo de moi-même m'expliquant le but de votre présence ici ?

Jake hésite un long moment avant de répondre, puis fixant son interlocuteur sans ciller, il répond :

— Parce que vous n'étiez plus en mesure de faire une telle vidéo.

La mâchoire du docteur se crispe et après un moment se relâche suffisamment pour émettre :

— Vous m'avez pourtant dit que je vous avais personnellement décrit comment vous seriez reçu ici aujourd'hui.

— Ces procédures ne datent pas d'hier.

— Ah, je vois, murmure le directeur en faisant pivoter son regard et sa chaise de quatre-vingt-dix degrés.

Après une longue pause, il continue d'une voix monocorde :

— De quoi suis-je mort ? Ou suis-je tout simplement handicapé ?

— Crise cardiaque. Fatale. Il y a cinq ans.

« C'est la seule vérité à propos de lui que je lui ai avouée de toute la journée », songe Jake. Il a passé sous silence la retraite forcée après que la direction du projet eut été confiée à Mike.

— Il me reste donc un peu plus d'une quinzaine d'années, soliloque le quinquagénaire.

S'ébrouant comme s'il sortait d'une transe, le docteur se tourne pour percer son interlocuteur d'un regard aiguisé.

— Si j'acceptais votre offre de collaboration, quelle serait la prochaine étape ?

— Je communiquerais avec mon propre centre de contrôle pour les autoriser à téléporter le chercheur qui vous enseignerait comment fabriquer les pièces manquantes à votre téléporteur.

— Pourquoi ne puis-je pas aller moi-même dans le futur et apprendre sur place ?

— Parce qu'il est interdit à quiconque du passé de venir dans mon époque. Trop de complications, trop difficile de forger une fausse identité. Nous comptons limiter la téléportation de personnel au minimum. Les transferts seront utilisés principalement pour le transport de données et de matériel. Et nous avons besoin de vous ici. Vous êtes trop précieux pour risquer une téléportation.

Suspectant le danger de succomber à la flatterie, le docteur contre-attaque :

— Pourtant vous, vous consentez à être télé-porté !

— J'ai l'habitude de risquer ma vie pour mon pays, fait Jake avec un sourire ambigu. Après l'arrivée du scientifique, avec votre permission, je partirai en reconnaissance dans votre monde pour deux semaines d'observation sur le terrain. Soyez assuré que je serai très discret. Je ne participerai à aucun événement qui attirerait l'attention sur moi.

Le Dr Mansfield se retient de le lui interdire. Il estime qu'il en apprendra davantage en le faisant suivre de proche.

CHAPITRE 6

Côte d'Azur, le 15 juillet 2023

Shannon reste avec Abiguail pendant que les autres adultes se disséminent aux quatre coins de la propriété. Sophie est la première à repérer deux des enfants.

— Que faites-vous là-haut ? C'est dangereux !

Son cri attire Jake et François, qui reviennent sur leurs pas et s'arrêtent devant un arbre qui déploie ses branches tentaculaires sur le terrain, à l'est de l'édifice. Comme elles, ils obligent leurs cous à se plier à angle droit pour repérer les deux fillettes qui s'accrochent aux branches du feuillu, quatre mètres au-dessus.

— Wow ! Quel arbre magnifique pour grimper !

— Ouais, tu peux le dire Jake, approuve François. Grosses branches, régulièrement espacées presque jusqu'au sommet. Un arbre à faire rêver.

— Vous deux, vous n'êtes pas en train de m'aider, grince Sophie, à voix basse.

Les deux hommes échangent un coup d'œil complice.

— N'allez pas plus haut, redescendez tout de suite, crie Sophie en direction du faîte de l'olivier, d'un ton qui n'admet pas de réplique.

Elle n'en vient pas moins, cette réplique :

— C'est ce qu'on est en train de faire !

Natalie évite d'ajouter que, dix minutes auparavant, elles ont dû grimper encore plus haut pour atteindre le balcon adjacent à une des chambres du deuxième palier et ainsi sauver l'otage. Elles ne faisaient que compléter leur mission, la poupée en sécurité dans un petit sac à dos.

— Et où sont tes frères ? continue Sophie.

— Je ne sais... Ah... je les vois là-bas. Près des voitures, répond Nat, en pointant du doigt.

Les deux garçons arrivent effectivement. Ils sont heureux de la diversion que les filles ont créée et qui leur a permis de quitter leur cachette sans être vus.

— Où étiez-vous ? On vous cherchait, les réprimande Sophie lorsqu'ils parviennent à sa hauteur.

— Dans les alentours, dit Olivier, l'air hésitant.

— Regardez-vous. Est-ce que vous avez rampé dans un potager ou quoi ?

— On peut aller à la plage et sauter à l'eau tout habillés ? propose Gabi avec enthousiasme. Nous serions propres dans le temps de le dire.

Exaspérée, sa mère lève les yeux au ciel, ce qui lui rappelle les deux fillettes dans l'arbre. Nat aide autant qu'elle le peut la gamine à rejoindre la branche suivante.

— Et vous deux, puisque vous en brûlez d'envie, pourquoi n'aideriez-vous pas les petites à descendre, recommande Sophie aux deux hommes.

Jake accuse réception de l'ordre par un salut militaire et un *Yes, sir*. Il empoigne la première branche. François a tôt fait de l'imiter.

— Je peux descendre toute seule ! proteste Nat.

Sandra ne se fait pas prier pour passer de bras en bras plutôt que de branche en branche. Après que tout le monde a finalement rejoint le plancher des vaches, Gabi entonne :

— Bon, maintenant est-ce qu'on peut aller à la plage ?

*   *
*

— Qu'est-ce qui vous prend, vous deux ? Pourquoi voulez-vous aller au lit si tôt ? On est en vacances ! se plaint Nat, en entrant dans la chambre à coucher qu'elle doit partager avec ses deux frères.

Les garçons se consultent du regard. Finalement, Olivier chuchote :

— Il va falloir le lui dire. On ne peut pas attendre qu'elle s'endorme.

— Me dire quoi ? fait Nat, à voix haute.

— Chut ! siffle Gabi. Pas si fort. On veut leur faire croire qu'on se prépare à dormir.

— Quel coup pendable avez-vous encore en tête ? murmure sa sœur.

— Ce n'est pas drôle. C'est en fait très sérieux, la prévient Olivier. Nous voulons de nouveau espionner la conversation des adultes.

Les épaules de Natalie s'affaissent et ses yeux font le tour de leurs orbites.

— Jouer les Navy SEALS, c'était amusant, mais là, vous exagérez.

— Ce que nous avons entendu cet après-midi était plutôt inquiétant, commence Olivier. Ils discutaient de la prochaine mission de Jake. Ils semblaient tous être au courant qu'il y aurait une attaque contre le World Trade Center dans quelques semaines.

— Comme dans le film qui a gagné un Oscar l'an dernier ? Avec des avions, et tout et tout ?

— Je ne sais pas. Ils n'ont pas donné de détails. Oncle Jake a dit qu'il ne voulait pas que le Pentagone soit averti et qu'il n'avait pas l'intention de prévenir l'attaque. Tous les autres semblaient être d'accord avec lui.

Natalie dévisage ses frères un moment, puis part à rire.

— Vous vous faites monter un bateau. Ils se moquent de vous. Ils ont dû vous surprendre en train de les espionner et ils sont entrés dans votre jeu.

Les garçons ne perdent pas contenance pour autant.

— Non, je ne crois pas, persiste Olivier. La conversation semblait trop naturelle. Et puis, on a été très silencieux.

— Il y avait aussi la remarque à propos de la téléportation, qui était bizarre, ajoute Gabi.

— Oui, j'ai repensé à cela moi aussi, mais je ne crois pas que c'était important. Ç'avait l'air d'une farce. Oncle Jake a tout de suite dit que papa imaginait des choses. Le reste, par contre, avait l'air sérieux.

Natalie commence à être effrayée par l'attitude austère de ses frères. Cela leur arrive si rarement, surtout Gabi.

— Tu ne soupçonnes quand même pas nos parents d'être vraiment des terroristes ? lâche-t-elle, stupéfiée.

— J'espère que non. C'est pourquoi je veux en savoir plus long et je compte retourner écouter leur conversation ce soir, à leur insu. La nuit est si belle. Je crois qu'ils vont passer la soirée sur la terrasse.

— Je viens avec toi, jette Gabi.

— Comment allez-vous quitter cette chambre sans qu'ils le remarquent ? observe Nat. La villa est si vieille que tous les planchers craquent et tous les gonds grincent. Il y a aussi le moniteur pour bébé installé dans la chambre d'Abiguail.

— N'as-tu pas réussi, cet après-midi, à entrer par la fenêtre de notre chambre après avoir grimpé dans l'arbre ? dit Olivier, sur un ton plein de sous-entendus.

— Oui. C'est vrai. Mais c'est un peu difficile. Il va me falloir vous montrer la meilleure route, ajoute-t-elle, avec un sourire espiègle.

CHAPITRE 7

Californie, le 29 août 2001

Jake a tout de suite repéré l'homme qui le suit à une distance respectable. Il est parfaitement conscient de la puce électronique que le Dr Mansfield croit avoir camouflée dans son sac. Une autre puce vient d'être attachée au revers de sa chemise polo, par la femme qui l'a bousculé dans le train en direction de San Francisco.

Le métro est bondé, car c'est l'heure de pointe. Il cède sa place à une dame et se tient debout près de la porte. Feignant de soudain prendre conscience qu'il a atteint sa station, il sort du wagon tout juste avant que les portes ne se referment. Son mouchard n'a pas le temps de l'imiter. Jake se presse vers la sortie et le couvert de la foule. Il glisse les deux puces dans la poche de veston d'un autre voyageur, puis emprunte un couloir en direction opposée. Un court trajet en taxi l'amène ensuite à un bureau de location de voitures. Au moyen d'une fausse carte de crédit associée à un compte véritable dans les archives de la CIA, il se procure une automobile pour se rendre jusqu'à l'aéroport de Fresno, d'où il s'envole pour New York.

Les procédures d'accès à bord sont plus détendues qu'elles ne le seront dans deux semaines. Il peut donc, sans provoquer de questions, prendre avec lui son transmetteur camouflé en lentille télescopique et sa télécommande déguisée en BlackBerry. Ce transmetteur consiste en un tube dans lequel il insère sa bague, laquelle contient une centaine d'atomes qui, au moment de la téléportation, ont reçu un code spécial du programme de simulation. Ces atomes sont appelés une sonde par les chercheurs. Une sous-routine garde les coordonnées de cette sonde en mémoire. La position du porteur de la bague est donc connue en tout temps par les gens dans la salle de contrôle.

Le transmetteur est muni d'un mécanisme qui permet de bouger ladite bague facilement et rapidement le long du faux télescope. Ces mouvements sont déterminés par le code morse correspondant au message qu'il inscrit sur son BlackBerry. Finies les marches d'une amplitude de deux ou trois mètres que François s'est imposées pour transmettre ses observations hors de la simulation, il y a douze ans. Depuis, on estime la position des atomes codifiés de façon beaucoup plus précise.

Jake a laissé croire au Dr Mansfield que seul le BlackBerry était nécessaire à la transmission. Il a pu taire l'importance des deux sondes qu'il porte toujours sur lui, une dans la bague, l'autre dans une des plaques d'identité militaire accrochées à son cou.

Après une courte nuit de sommeil, à un hôtel dont l'uniformité dictée par une marque de commerce préserve l'anonymat, Jake loue un entrepôt de taille moyenne dans un voisinage dénué de caméras de surveillance, près du Bronx. L'espace est complètement vide et sans fenêtre. On y accède par deux portes ordinaires, situées à l'avant et à l'arrière, ainsi qu'à partir d'une porte de garage. Jake a aussi réservé plusieurs camionnettes.

Vers minuit, il envoie un message qui a pour résultat la téléportation de trois de ses équipiers. Pendant que la tornade lumineuse éclaire le hangar, il se dit que la possibilité de changer l'espace interne de lieu à l'intérieur de la simulation est un autre détail qu'il a omis de mentionner au Dr Mansfield. Jake lui a plutôt laissé l'impression que tous les voyages entre les deux espaces-temps devaient se faire par la salle de transfert du centre de recherche. Il va donc pouvoir opérer ici, sans interférence de la part de Mansfield. Après maintes accolades de retrouvailles, Jake emmène hors du hangar, cachés dans la caisse d'une des camionnettes, deux de ses compagnons et leur équipement de surveillance et de détection. Le troisième homme reste dans l'entrepôt pour accueillir le reste de l'équipe de seize et commencer l'installation de calfeutrage qui rendra leur abri encore plus hermétique à tout son et lumière.

Jake conduit vers un endroit désert et mal éclairé, où il abandonnera les commandes du véhicule à ses passagers, loin des yeux d'un éventuel curieux susceptible de se demander comment tant de monde peut sortir d'un hangar sans jamais y être entré. Il compte utiliser le transport en commun pour retourner à son hôtel. Ses coéquipiers vont continuer en direction du World Trade Center, qu'ils surveilleront entre trois heures et cinq heures du matin. Leur mission est d'enquêter sur les allégations de transport de matériel illicite (et possiblement explosif) dans les sous-sols du complexe pendant les deux semaines ayant précédé l'attentat. Une autre équipe de Navy SEALS arrivera demain, pour prendre en charge cet aspect de la mission. Sa propre équipe pourra ensuite s'occuper exclusivement de la surveillance des terroristes, avant que ceux-ci ne prennent place à bord des vols AA11, UA175, AA77 et UA93. Quant à Jake, après la fin de semaine, il sera libre de se consacrer à sa véritable mission, qui n'a rien à voir avec la chasse aux terroristes...

* *
*

Le campus de l'Université de Princeton, à moins de cent kilomètres de New York, se réveille par étape de sa tranquillité estivale. Il est baigné par l'annuelle effervescence de l'arrivée des nouveaux étudiants et du retour des anciens, stage obligatoire avant le début des cours la semaine suivante. Les étudiants au doctorat, surtout dans leur dernière année, font fi du calendrier universitaire et continuent leurs activités normales de recherche. C'est pourquoi Jake a bon espoir de découvrir à son poste un certain étudiant de physique qu'il traque depuis ce matin, d'abord à sa résidence, puis à son bureau et maintenant dans ce laboratoire, où l'entrée est restreinte. Lui-même fait peu de cas de cette interdiction, mais sa présence est tout de suite remarquée par un technicien :

— Ce laboratoire n'est pas ouvert au public, lui rappelle-t-on.

— Pardonnez-moi, fait Jake. Je cherche Michael Simpson. On m'a dit que je le trouverais ici.

Après un moment d'hésitation pendant lequel il détaille le visiteur des pieds à la tête, son interlocuteur crie, sans le perdre de vue :

— Mike, tu as un visiteur !

Un « qui est-ce ? » émane du fond de la salle encombrée de matériel scientifique.

— Jake, répond le soldat, d'une voix sonore, tout en se dirigeant vers celle qui a répondu à l'appellation de Mike.

Le technicien laisse d'abord échapper un « Hé là ! » désapprobateur, puis hausse les épaules après avoir pris en considération le gabarit impressionnant de l'individu.

— Je ne connais pas de Jake, lance Mike, à travers toute la salle.

— Pas encore, mais une fois que vous m'aurez parlé, vous en connaîtrez un, dit Jake d'une voix normale, en s'adressant au jeune homme qui lui tourne le dos.

Celui-ci sursaute et pivote pour faire face au visiteur, une paire de pinces à la main. Il arrache à contrecœur son attention du photomultiplicateur démantibulé sur la table.

— Je suis très occupé. Que voulez-vous ? maugrée-t-il.

— Puis-je vous parler en privé ? demande Jake, poliment.

Il ne peut s'empêcher de noter l'air négligé de l'étudiant. L'aspect capillaire de ses joues et de son crâne ne garde aucun souvenir d'un passage récent sous le rasoir ou les ciseaux. La barbe en collier qu'il entretiendra dans la trentaine n'est pas encore débroussaillée. Jake est frappé par la jeunesse et l'animosité du regard qui le dévisage. D'ailleurs, le jeune homme ne tarde pas à lui jeter à la figure :

— Non. Dites-moi en trois mots le but de votre visite et partez !

— J'ai bien peur que ce que j'ai à vous proposer ne prenne plus que trois mots.

— Eh bien, je vous répète que ma réponse est non.

— Je ne vous ai encore rien dit ! s'étonne Jake.

Mike pousse un soupir exaspéré et refait un examen visuel de son visiteur avant de l'apostropher :

— Vous êtes militaire, n'est-ce pas ?

— Oui, concède Jake. Le lieutenant Jacob Stanford. Jake pour les amis. Puis-je vous appeler Mike ?

— Non, vous ne le pouvez pas. Vous êtes sûrement envoyé par le centre militaire de recherche qui me harcèle depuis des mois pour que je vienne travailler pour eux, une fois que j'aurai obtenu mon doctorat. Est-ce que je me trompe ?

— Oui et non, hésite Jake. Pas tout à fait la même division, je dirais. Laissez-moi...

L'étudiant ne lui permet pas d'insérer la moindre parcelle d'explication.

— Peu importe la division. Combien de fois faudra-t-il vous le dire ? La réponse est non ! Jamais je ne travaillerai à des fins militaires. Je ne veux pas d'une muselière qui m'empêcherait de publier le résultat de mes recherches. Je suis en train de négocier les termes d'un emploi de professeur dans une université. Je ne vous dis pas laquelle.

— Aucune université n'aura les fonds de recherche nécessaires pour le genre de projet que vous avez en tête. Et puis, vous passeriez votre temps à écrire des propositions de recherche plutôt qu'à faire la recherche elle-même.

Furieux d'entendre verbaliser ses craintes refoulées, Mike se réfugie dans son idéalisme :

— Je ne me laisserai jamais dévier de mes convictions par des considérations financières.

— Ah non, vous le ferez ! Vous allez changer d'avis, affirme Jake, piqué par le mépris qu'il discerne dans l'attitude du jeune homme.

Puis, Jake ajoute dans un murmure que seules les oreilles de Mike peuvent discerner :

— Vous changerez d'idée après l'attaque terroriste qui tuera votre sœur dans moins d'une semaine.

.

CHAPITRE 8

Côte d'Azur, le 15 juillet 2023

Sandra ne dort pas. Le chant des criquets et des cigales ne mérite pas le titre de berceuse. Chaque crescendo la laisse comme essoufflée. Le vrombissement des moteurs à proximité de son domicile californien est d'habitude autrement soporifique. Une branche frotte quelque part et lui fait l'effet d'un fantôme, matérialisé dans le pan du rideau diaphane qui envahit la pièce avec chaque pression différentielle. Son insomnie est entretenue par une ritournelle dans sa tête : « Comment faire pour fermer le volet ? » Le jeu des possibilités hante bientôt son esprit. Doit-elle endurer une chaleur suffocante ou des bruits terrifiants ? Un flash incongru qui engendre des ombres de courte vie dans toute la chambre fait pencher la balance pour la « fenêtre ». Si seulement elle pouvait trouver le courage de sortir du lit !

Ses oreilles, en état d'alerte rouge, lui rapportent des craquements de branches, des chuchotements improbables et des glissements incompréhensibles. Son imagination en diabolise la source. Elle redresse sa situation intenable en injectant assez de courage dans ses veines et ses muscles pour quitter l'asile de son lit. Elle pousse même la témérité jusqu'à jeter un regard vers les monstres, à partir du balcon. Trois formes vagues rampent le long d'un tronc d'arbre, le même qui a fait l'objet de son intime reconnaissance pendant l'après-midi. Elle étouffe un cri avec son poing. Un des êtres de la nuit atteint le sol et s'y accroupit, pour ensuite illuminer la descente de ses compagnons avec la fonction lampe de poche d'un téléphone cellulaire. Sandra reconnaît finalement Nat, Gaby et Olivier dans la personnification de ses diables. Avant qu'elle puisse revenir de sa surprise, ses trois cousins adoptifs disparaissent dans la nuit, la laissant devant un autre dilemme : « Devrait-elle les suivre ? »

*   *
*

— Quelle nuit magnifique ! s'exclame Sophie, à partir de la terrasse où les cinq adultes se sont de nouveau rassemblés pour déguster leurs digestifs.

Elle se love contre son mari, une action qui, dans la chaleur de la journée, aurait l'ultime désavantage de décroître la surface de peau disponible à l'évaporation. La fraîcheur relative de la soirée rend l'attouchement plus soyeux. Comme une sorte de reflet, le couple de Shannon et Mike les imite dans le fauteuil en face.

Silencieux, Jake noie son envie de vivre cette même complicité de couple dans une gorgée de cognac. Devinant le sujet de ses pensées, Sophie demande :

— Comment va Becky ?

Jake prend une autre gorgée avant de répondre :

— Je ne sais pas. Nous nous sommes séparés, il y a deux mois.

— Oh ! Jake. Je suis désolée d'apprendre cela.

Elle se redresse et s'écarte de quelques centimètres de François pour ne pas enflammer le sentiment de solitude que Jake doit ressentir.

— Je pensais que vous aviez même commencé à vivre ensemble ? dit-elle doucement.

— Oui, mais cela n'a pas duré. Comme d'habitude, mes longues absences inexplicables sont venues à bout de son ardeur. Ce n'est pas facile d'être la compagne d'un soldat. La peur constante pour ma vie. L'impression que je me méfie d'elle parce que je ne veux discuter d'aucun aspect de mon emploi. De mon côté, je n'arrive pas à être complètement moi-même. J'aimerais pouvoir raconter les petits échecs et les réussites de chaque journée de travail.

— Pour ce faire, il te faudra rencontrer une femme plutôt haut placée dans la hiérarchie militaire, juge François.

Jake répond d'un petit rire triste.

— Ouais ! Et ce n'est pas comme si elles abondaient ! plaisante-t-il. Ne vous inquiétez pas pour moi. Je suis désolé que tout n'ait pas vraiment fonctionné avec Becky, mais ça ne devait pas être le grand amour, car je m'en suis remis plutôt rapidement. J'ai encore toute ma vie pour trouver la compagne idéale.

Mike émet alors un grognement de désaccord :

— Attention, c'est le genre de raisonnement qui donne l'impression d'une infinité de temps, alors que c'est loin d'être le cas. La vie peut être écourtée sans crier gare, à tout moment.

— Oh, là ! Nous sommes des plus joyeux ce soir ! ironise François.

— Je suis bien placé pour le savoir, continue Mike.

Devinant ce que Mike a l'intention de dire, Shannon resserre son étreinte. Après s'être raclé la gorge pour déloger le nœud qui s'y est formé, Mike ajoute :

— Je viens d'être diagnostiqué d'un cancer à l'estomac.

CHAPITRE 9

Princeton, le 5 septembre 2001

— Et voilà, nous sommes seuls, proclame Mike. Personne ne viendra nous déranger. Tous les autres avec qui je partage ce bureau ont décidé d'étirer leur fin de semaine.

Les deux hommes, à l'insistance de Jake, viennent d'entrer dans une pièce fermée, encombrée de trois bureaux, chacun accouplé d'une bibliothèque et d'un classeur et surmonté d'un ordinateur réglementaire. Le pourcentage de surface horizontale visible en simili bois varie d'un meuble à l'autre, selon la propreté et le sens de l'ordre de son propriétaire. Celui derrière lequel Mike s'assoit pourrait être en ciment et personne ne le saurait.

— Maintenant, vous allez m'expliquer ce que vous voulez dire par cette attaque terroriste, pendant laquelle ma sœur se fera tuer, demande Mike, d'un air buté.

Jake inspire profondément avant de se lancer :

— Le 11 septembre, deux jets commerciaux détournés par des terroristes djihadistes s'écraseront sur les tours jumelles du World Trade Center. Votre sœur est analyste financière pour la banque d'investissement Cantor Fitzgerald qui possède des bureaux dans la Tour Nord. Elle sera l'une des trois mille innocentes victimes de cette attaque.

Mike le dévisage sans ciller, la bouche béante. Jake attend patiemment une réaction plus vocale, qui explose bientôt :

— C'est insensé ! Ça ne se peut pas. Si vous avez eu vent d'un tel complot, vous allez pouvoir maintenant le contrecarrer, n'est-ce pas ? Il faut arrêter les terroristes avant qu'ils commettent cet acte ignoble.

— Je vous révèle ce fait pour vous expliquer pourquoi vous allez surmonter votre dégoût de toute chose militaire et finalement décider de travailler sur le projet Philo.

Cet énoncé laisse Mike plutôt perplexe et c'est en fronçant les sourcils qu'il tente d'en tirer des conclusions.

— Selon vous, je vais décider de travailler pour vous, possiblement poussé par une reconnaissance éternelle, parce que vous m'aurez averti que ma sœur serait morte dans une attaque terroriste imminente, sans le travail de militaires. Est-ce que c'est ça ?

— Pas vraiment. Cette attaque et le décès de votre sœur vous feront comprendre qu'après tout, les militaires ont peut-être un rôle à jouer dans la société.

L'état de confusion dans lequel Mike est plongé ne risque pas de s'effacer après la décantation de cette phrase.

— Êtes-vous en train de me dire que vous ne ferez rien pour empêcher l'attaque ? Que vous allez laisser ma sœur mourir ? Que vous ne me laisserez pas l'avertir ? Êtes-vous en train de me menacer ?

Jake désespère de trouver la phrase-clé qui endiguerait ce flot de paroles. Il tient ses paumes devant lui, comme pour diriger la circulation.

— Non. Non. Ne vous emballez pas ainsi, fait-il. Laissez-moi vous expliquer d'abord en quoi consiste le projet Philo…

— Je ne vois pas la pertinence de discuter de cela maintenant, coupe Mike.

— C'est au contraire très pertinent, insiste le Navy SEAL. Je crois comprendre qu'on vous a seulement dit qu'il s'agissait d'expériences visant la transformation de la matière en énergie et vice-versa. Similaire, en somme, à votre sujet de thèse doctorale.

Voyant que Mike s'apprête à rouspéter, Jake renonce à reprendre son souffle et continue :

— Voici ce qu'on ne vous a pas dit. La transformation d'un élément en n'importe quel autre élément est un fait accompli depuis plusieurs années. Un secret religieusement gardé par l'armée. Des expériences sont maintenant en cours pour inventer la téléportation. Voilà ce à quoi vous serez appelé à travailler. Vous réussirez cette tâche en cinq ans.

— Comment pouvez-vous faire une telle prédiction ? glisse Mike, sceptique.

— Laissez-moi parler. Des essais parallèles visent la création de matière vivante à partir d'énergie. Ils ne réussiront que lorsque tout l'environnement de cette matière vivante sera créé en même temps. Il s'avère que seule la matière vivante du passé peut être générée. En résumé, dans le cadre du projet Philo, une sorte de machine à voyager dans le temps a été construite.

À ce stade de l'explication, Mike part à rire, ce qui laisse Jake plutôt mortifié. Entre deux éclats, Mike réussit à dire :

— Une machine à voyager dans le temps ! Rien que ça ! Vous devriez vous voir la figure. Vous avez l'air si sérieux quand vous dites cela.

— Mais je suis sérieux ! s'offusque Jake.

Mike succombe à une nouvelle séance de fou rire qui lui mouille les yeux. Après une minute, il réussit à dompter les muscles de son visage et à leur imposer un semblant d'accalmie. La prédiction de l'attaque terroriste ne l'inquiète plus, car son interlocuteur a perdu toute crédibilité à ses yeux.

— Vous disiez donc que vous avez inventé une machine à voyager dans le temps, dit-il en plaçant une main devant sa bouche pour masquer l'ascension de l'un de ses coins.

Stoïquement, Jake reprend le cours de son exposé :

— Il s'agit d'une simulation du passé, pas du vrai passé. La téléportation est utilisée pour y accéder.

— Me sera-t-il possible de faire un tour dans cette simulation ?

— Vous y êtes déjà.

Mike lève un sourcil à la Spock et attend la suite.

— C'est moi qui ai été téléporté dans une simulation. Je viens du futur.

Le deuxième sourcil rejoint le premier en hauteur.

— Vraiment ? Vous avez des preuves de ce que vous avancez, je suppose ?

— Je pourrais vous montrer une vidéo à propos de l'attaque terroriste qui aura lieu dans quelques jours, mais à ce stade, on m'a demandé de vous donner une lettre.

Jake sort une enveloppe blanche de la mallette posée à ses pieds et la tend à son destinataire.

— Je ne sais rien de son contenu. Je connais par contre celui qui l'a écrite. Il s'agit du docteur Michael Simpson, directeur du projet Philo, en l'an 2023.

CHAPITRE 10

Côte d'Azur, le 15 juillet 2023

La consternation est de mise tant sur la terrasse que dessous. Un silence pesant est descendu pendant une minute et Sophie peine à le soulever :

— Ce cancer, il n'est pas très avancé. Tu l'as attrapé à temps, n'est-ce pas ?

La réponse se fait attendre.

— Malheureusement non, admet Mike, dans un soupir. Je ne suis pas un très bon patient. J'ai ignoré tous les signes. Il y a trois ans, j'ai développé un ulcère bénin, traité au moyen de médicaments que j'oubliais souvent de prendre. Lorsque les symptômes sont réapparus, il y a quelques mois, j'ai demandé à Shannon de me prescrire les mêmes remèdes. Elle insistait pour me faire subir plusieurs tests que je remettais toujours à plus tard. Au travail, nous étions si près du but et après tant d'années d'échecs, que j'ai mis mes inquiétudes sur mon état de santé en veilleuse. Le fait que je mangeais à des heures irrégulières ce qui me tombait sous la main a aidé à masquer la véritable cause de mes malaises. Il y avait aussi les fréquents réveils d'Abi, toutes les nuits, qui ajoutaient à ma fatigue générale et aux raisons d'espérer que ce que je ressentais n'était que temporaire.

— J'aurais dû être plus ferme dans mes demandes au sujet des tests, se lamente Shannon, le visage sillonné de larmes. À quoi cela sert-il d'être médecin, si c'est pour laisser mon mari développer un cancer généralisé sous mes yeux ?

Mike prend la tête de Shannon entre ses mains pour l'obliger à plonger son regard dans le sien.

— Shannon, mon amour, arrête tout de suite, supplie-t-il avec tendresse. Je te l'ai déjà dit. Tu n'as pas à te sentir coupable. S'il y a un coupable, c'est moi. C'est entièrement moi qui, au bout du compte, ai refusé de suivre tes conseils. Moi et ma tête de mule. Je regrette amèrement que mes actions négligentes affectent maintenant si profondément notre petite famille.

Le sanglot qui la secoue l'empêche de répliquer. Elle se réfugie derechef dans les bras de Mike. François a de nouveau comblé l'espace entre lui et Sophie et entrelacé ses doigts dans les siens. Jake, les coudes sur les genoux, fixe sans les voir les planches du patio.

— N'y a-t-il pas un tout nouveau médicament sur le marché qui fait des miracles contre plusieurs types de cancer, observe-t-il, après un long moment. Je crois avoir entendu beaucoup de publicité à son sujet l'an dernier.

— Tu fais probablement référence à Tumelox, réplique Mike. C'est justement une des drogues qui m'a été prescrite. J'aurais eu plus de chance de survie si le cancer n'avait pas commencé à se répandre.

— Quand avez-vous su cette nouvelle ? demande doucement Sophie.

— Il y a environ une semaine. Comme nous avions prévu vous voir dans peu de temps, nous avons préféré attendre de vous en informer en personne.

— Est-ce qu'ils t'ont donné une échéance pour la durée de cette maladie ? s'enquiert François.

— Cela pourrait être aussi court que quelques mois ou prendre un peu plus d'un an. À moins d'un autre miracle à la Tumelox.

Jake laisse échapper un juron en catimini.

— Est-ce que tu les as avertis au travail ? interroge Sophie.

— Oui, pratiquement dès que l'ai su. J'avais d'ailleurs été souvent absent pendant le mois précédent, à cause de tous les tests et aussi parce que je ne me sentais tout simplement pas assez en forme pour me rendre au centre.

— Cela ne l'empêchait toutefois pas de travailler à partir de la maison, maugrée Shannon.

— Mike, il va te falloir consacrer tes énergies à essayer de guérir, l'implore Sophie. Laisse les autres prendre la relève. Pense à toi et à ta famille.

Mike prend une longue respiration, qu'il relâche tout aussi lentement. Dépité, il tente d'expliquer son dilemme :

— C'est plus facile à dire qu'à faire. Je n'ai jamais été très bon pour déléguer. Il y a plusieurs concepts scientifiques du projet que je n'ai pas pris la peine de documenter, ni même d'expliquer à qui que ce soit. Comme les tests médicaux, je remettais à plus tard. La semaine dernière, j'ai commencé à rassembler le matériel nécessaire pour un squelette d'explication, mais je désespère du peu de temps qui me reste pour enseigner à quelqu'un la complexité de la programmation à la base du projet. Cette personne devra être capable de faire le pont entre les grandes lignes directrices, par elle-même. Il n'y a qu'une seule personne que je sens à la hauteur.

— Qui ? Rajiv, Dolorès, Leo ? énumère Sophie.

— Non. Moi.

CHAPITRE 11

Princeton, le 5 septembre 2001

Villefranche-sur-Mer, le 16 juillet 2023

Cher Mike,

Je me découvre dans la situation plutôt irréelle de tenter de te convaincre que je suis toi. Ou plutôt, je devrais dire que tu es moi, quand j'avais 23 ans.

D'abord, j'ai choisi d'écrire cette lettre à la main, ce que je n'ai pas fait depuis des décennies. Histoire de te permettre de reconnaître notre horrible calligraphie. Et puis, tu vas probablement être le seul capable de la déchiffrer.

Passons maintenant aux petits souvenirs juteux : le rêve merveilleux que tu as eu, une nuit à 13 ans, après être entré par erreur dans le vestiaire des filles, OU la tasse pleine de crayons que tu as délibérément fait tomber, en douzième année, pour que la jolie suppléante du cours de littérature anglaise se penche pour les ramasser et te permette une vue plongeante de sa poitrine, OU combien tu détestais ça quand le grand Colin t'appelait « Bart », en quatrième année...

Sur une note plus triste, je dois t'avouer que je me meurs. Je suis atteint d'un cancer de l'estomac qui s'est maintenant propagé à plusieurs autres organes. L'œuvre de ma trop courte vie risque de ne pas me survivre, s'il m'est impossible de transmettre mes connaissances et mes intuitions à une autre personne capable d'en percevoir toutes les implications et ramifications. Il y a ici plusieurs candidats auxquels je pourrais enseigner mes savoirs, si j'étais assuré de vivre une autre année, mais le temps, que j'ai passé ma carrière à étudier, me file entre les doigts.

Ceci m'amène à une requête. Tu y verras peut-être un sens exagéré de l'ego, mais la seule personne que je sens capable de poursuivre mon œuvre et d'y comprendre rapidement quelque chose, c'est toi. Je te propose de venir me rejoindre en l'an 2023, le plus vite possible. La durée de ton séjour ne dépendra que de toi. Nous envisageons une collaboration étroite avec les chercheurs du projet Philo de ton époque. Tu pourrais servir de liaison entre les deux équipes. Une sorte de double vie en quelque sorte, avec un pied-à-terre dans les deux années. Jake, celui qui t'a remis cette lettre, peut répondre à toutes tes questions.

Je l'ai prévenu que tu insisterais pour que Laura soit avertie de ne pas aller au travail le 11 septembre. Je suis avec toi de tout cœur sur ce point. En fait, s'il était possible de la convaincre de t'accompagner ici, je t'en serais éternellement reconnaissant. Son décès en septembre 2001 m'a profondément affecté et j'aimerais infiniment la revoir une dernière fois.

Un dernier point : s'il-te-plaît, ne préviens pas les autorités de l'attaque imminente. Il est impératif que l'histoire soit perturbée le moins possible, même s'il s'agit seulement d'une simulation. Soustraire une seule victime au bilan meurtrier *risque d'avoir beaucoup moins d'impact qu'empêcher un des événements les plus marquants du début du siècle d'avoir lieu. Et, sans preuve, tu aurais bien de la difficulté à convaincre qui que ce soit. Tu risquerais même de devenir un suspect.*

J'espère avec impatience et trépidation ta venue,

Michael Peter Simpson

P.-S. Jake Stanford est un de mes meilleurs amis. Je le connais depuis près de douze ans. Il serait un très bon candidat pour Laura.

P.-P.-S. Il y a une erreur dans la sous-routine EXPAND line 43045. Le paramètre beta67X devrait être négatif plutôt que positif (ces erreurs de signe peuvent être tellement frustrantes, n'est-ce-pas !). J'ai découvert cette gaffe deux ans après l'obtention de mon doctorat, lorsqu'en essayant d'utiliser le programme avec une itération de l'ordre de trois millions, j'ai abouti avec des résultats instables. Avec le bon signe, tu obtiendrais une diminution de 37 % dans la différence entre les résultats théoriques et expérimentaux, donnant ainsi plus de poids à tes conclusions. Ne t'en fais pas, même avec cette erreur dans ton programme, tu obtiendras ton doctorat avec brio.

*   *

*

Jake prend plaisir à suivre le passage des émotions sur le visage de Mike pendant la lecture de la lettre. Il y a d'abord le sourire moqueur quand il en est à l'en-tête. Forçant le dossier de sa chaise à s'incliner avec l'angle maximum par rapport à la verticale, il emprunte une attitude détendue. Un froncement des sourcils évince bientôt son air allègre. Chaque ligne lue diminue l'angle du dossier de la chaise. Le dernier paragraphe le lance dans une frénésie d'activités. Il allume son ordinateur. Il sort d'un classeur un cartable qu'il feuillette furieusement. Après avoir repéré la page recherchée, il pianote sur le clavier à la vitesse d'une fugue de Bach.

Lorsque le manège s'éternise, Jake en vient à interjeter :

— Hé là ! Je suis encore ici, vous savez ! Vous ne m'avez pas oublié, j'espère !

Pour toute réponse, Mike lui montre un doigt dressé tout droit. Heureusement, il s'agit de l'index plutôt que du majeur.

Jake prend son mal en patience. Plusieurs autres minutes passent avant qu'il n'entende Mike soliloquer avec ébahissement :

— Merde, il a raison !

L'expression sur son visage habité d'un regard qui ne voit rien, atteste de la multitude de pensées et de conclusions qui se disputent la préséance derrière son front.

— Est-ce que vous me croyez maintenant ? tente Jake, pour attirer l'attention.

Le regard de Mike dérive vers lui pour ensuite s'ancrer dans le sien.

— Vous m'avez dit avoir une vidéo de l'attaque.

Jake sort une tablette de son sac et l'active par l'identification de ses empreintes digitales. Il choisit une des icônes dans un dossier.

— Ce documentaire a été produit dix ans après l'attaque et utilise des images et des films captés le 11 septembre 2001.

Une heure et demie plus tard, Mike lutte contre l'horreur engendrée par la vision des tours qui s'effondrent et d'êtres humains en chute libre sur une hauteur de cent étages.

— Nous devons empêcher cela. C'est trop affreux, s'écrie-t-il. Cette vidéo donne les noms de certains terroristes et les vols qu'ils prendront. Ils peuvent être arrêtés.

— Je comprends votre angoisse. Moi-même, j'aimerais arrêter ce massacre, répond Jake avec compassion, mais nous ne le pouvons pas.

— Pourquoi pas ? proteste Mike. Comment pouvez-vous même imaginer ne rien faire !

— Nous sommes en guerre. Une guerre contre le terrorisme. Ces actes ignobles n'ont pas cessé de se reproduire. À Madrid, à Paris, à Londres, en Syrie, au Pakistan, en Afghanistan, en Israël et j'en passe. Le fait que nous puissions simuler le passé peut nous permettre de mieux comprendre les réseaux clandestins, ses instigateurs et ses origines. En analysant mieux nos erreurs passées, nous pourrons peut-être prévenir de nouvelles attaques.

Voyant à son expression entêtée que Mike n'est pas convaincu, Jake prend une nouvelle tactique :

— Permettez-moi de faire une analogie avec un épisode de la Deuxième Guerre mondiale : le bombardement de Coventry. À Bletchley Park, les Britanniques avaient réussi à décoder les messages secrets allemands au début de la guerre. Il était toutefois crucial que les Allemands n'en sachent rien, pour permettre aux alliés de garder cet avantage incontestable. Ainsi, lorsqu'un message a été déchiffré, annonçant le bombardement de

Coventry, aucun des décodeurs n'a eu la permission d'avertir sa famille et ses amis.

— Est-ce que vous me voyez comme un décodeur qui devra laisser sa sœur se faire tuer pour conserver votre secret ? fait Mike d'un air furibond.

Jake pousse un soupir pour se donner le courage de continuer :

— Bien sûr que non. Je suis autorisé à sauver la vie de votre sœur.

— Et comment comptez-vous vous y prendre ?

— Je peux, par exemple, entrer par effraction à l'intérieur de son appartement, la nuit avant le 11 septembre et l'endormir avec un tranquillisant. Elle ne se réveillerait que vers midi, après l'attaque.

— Et ses collègues ? Comment les sauverez-vous ?

— Je n'ai pas l'intention de sauver qui que ce soit d'autre, dit Jake d'un ton teinté d'abattement.

Le regard lourd d'animosité que Mike fait peser sur lui le remplit de désarroi. Il cherche vainement l'explication qui ne ferait pas de lui un sans-cœur.

— Vous devez comprendre qu'une simulation du passé n'est gardée en fonction que si elle est utile à ses créateurs, avoue-t-il. Nous en sommes encore au stade initial, soit vérifier à quel point notre modèle théorique ressemble à la réalité. Peut-être viendra-t-il un jour où une simulation du passé sera utilisée pour répondre à des questions comme : que se serait-il passé si les terroristes avaient été capturés avant de monter dans ces avions ? Nous n'en sommes pas encore là.

Le dégoût transpire dans la remarque suivante de Mike :

— Vous me donnez l'impression que, pour vous, cette simulation n'est qu'un jeu. Une expérience scientifique. Ce sont des vies humaines avec lesquelles vous jouez !

— Ce monde dans lequel vous vivez ne doit son existence qu'aux calculs continuels d'un ordinateur. C'est un monde virtuel. Cet ordinateur peut arrêter de fonctionner à tout moment, soit par dessein, soit à cause d'un dysfonctionnement. Nous devons extraire le plus possible de renseignements pendant sa courte existence.

L'inquiétude vient maintenant supplanter le dégoût dans l'expression de Mike :

— Que voulez-vous dire par sa courte existence ? Combien de temps ces simulations durent-elles, habituellement ?

— Il n'y a pas encore vraiment de « habituellement ». Cette simulation n'est que la deuxième à être initialisée. La première a fonctionné pendant moins de trois ans. Toutefois, nous avons bon espoir de maintenir l'existence de celle-ci plus longtemps.

Mike manifeste soudainement un intérêt particulier pour la procédure de départ de son monde :

— Comment allez-vous à l'an 2023 à partir d'ici ?

— Nous devons physiquement nous rendre dans un petit espace simulé dans toute sa molécularité. De là, nous pouvons être téléportés, en échange d'un volume issu de mon monde de 2023.

— Où se trouve l'espace en question ?

— Quelque part à New York.

— Est-il assez grand ? Peut-on transporter trois personnes à la fois ?

— Oui, jusqu'à quatre à la rigueur.

Mike marque une pause dans la conversation pour examiner les questions éthiques liées à la modification d'un monde destiné à disparaître.

Peut-on jouer avec le destin ? Jake, quant à lui, est préoccupé par des considérations pratiques.

— Si vous acceptez de me suivre, il vous faudra inventer une excuse quelconque pour expliquer votre absence pendant, disons, un mois. C'est pour vous donner l'option de revenir et de ne pas déclencher un avis de recherche que vous auriez du mal à expliquer.

— Pourquoi voudrais-je revenir dans mon époque, si vous me dites que ce monde cessera d'exister dans quelques années ?

— Vous donner une identité dans le futur est une tâche difficile et qui peut prendre du temps. En attendant, vous allez peut-être vouloir revenir ici. Il vaut mieux ne pas couper tous les ponts.

— Comprenez-moi bien, insiste Mike. Je n'ai pas encore accepté votre invitation. En fait, je ne l'accepterai que si vous parvenez à convaincre ma sœur de nous accompagner.

Les yeux de Jake s'arrondissent.

— Vous n'êtes pas sérieux ! s'exclame-t-il. Je ne suis pas autorisé à ramener avec moi qui que ce soit d'autre que vous.

— Je suis certain que votre directeur ne vous en voudra pas de briser quelque peu les règles, insinue Mike, avec un sourire sardonique.

— Vous n'y pensez pas ! C'est une personne de plus qu'il me faudra convaincre que je viens du futur.

— Eh bien, il va vous falloir être persuasif, car je ne pars pas sans elle. Et c'est final.

Jake se laboure la chevelure à deux mains, comme si un massage intempestif pouvait l'aider à éviter ce rebondissement. Il doit toutefois capituler.

— Bon d'accord. Combien de temps vous faut-il pour avertir les personnes qui ont besoin d'être avisées de votre départ ? Après, nous irons à New York chez votre sœur.

— Je ne vais nulle part. Je lui donnerai un coup de fil pour la prévenir de votre visite, tout au plus.

— Elle n'écoutera jamais un étranger, grommelle Jake.

— Je n'ai pas le temps de rendre visite à ma sœur, car j'ai une grave erreur à corriger ici. Et gare à vous, si j'apprends que vous l'avez laissée partir au bureau le 11 septembre.

CHAPITRE 12

Côte d'Azur, le 15 juillet 2023

— Que veux-tu dire par là ? Que personne au monde, selon toi, ne peut te remplacer ?

— Non, Sophie, explique Mike. Justement, quelqu'un le peut, qui me ressemble en tout point. Il existe à l'intérieur d'une simulation de l'an 2001. Il a 23 ans et, au moment de l'attaque du World Trade Center, il mettra la touche finale à sa thèse de doctorat, à l'Université de Princeton.

— Quoi ! s'exclame Jake. Suis-je vraiment en train de t'entendre proposer d'extraire une copie de toi-même de la simulation ?

— Oui, c'est exactement ce que je propose, avoue Mike.

Les quatre autres lui lancent tous en même temps des objections sur le thème de la folie. Après un long moment de cacophonie, ils consentent à retenir leurs commentaires pour le laisser parler.

— Pensez-y bien. Nous avons déjà convenu que Jake tentera de persuader le docteur Mansfield de collaborer à un programme de comparaison de données entre la simulation et nos archives, en échange de quoi nous lui offrirons les plans et l'aide technique requise pour construire un téléporteur. Je suis censé me joindre au projet Philo en novembre 2001. Pourquoi ne pas me mettre dans la boucle un peu plus tôt ?

— Le Pentagone n'acceptera jamais une telle idée. Oublie ça !

— C'est là que tu as tort, Jake. J'ai reçu son autorisation ce matin.

La stupéfaction se peint sur tous les visages, incluant celui de Shannon. Mike s'adresse à elle spécifiquement :

— Je ne t'en ai pas parlé, car je savais que ma proposition n'irait nulle part sans l'appui de mes supérieurs. Alors j'ai attendu d'être certain.

— À quoi exactement le Pentagone a-t-il donné son accord ? s'inquiète François.

L'attention de Mike se détourne vers l'aristocrate.

— La mission de Jake est maintenant d'entrer en contact avec mon double et de le convaincre de venir me rejoindre dans le futur, afin que je puisse lui enseigner ce que je sais.

— Ils planifient donc de lui donner une fausse identité, suppose Sophie.

— Non, ce ne sera pas nécessaire. Il prendra ma place lorsque je ne serai plus là.

Ce nouvel énoncé agrémente de nouveau ses compagnons de mâchoires béantes. Shannon est la première à la remettre en mouvement :

— Tu es complètement cinglé ! Comment peux-tu même imaginer être remplacé dans la vie de tous les jours par une version de toi-même plus jeune de vingt-deux ans ? Crois-tu vraiment que personne ne verra la différence ?

— Nous devrons vendre la maison et déménager dans un quartier où personne ne me connaît.

Tu devras couper le contact avec quiconque n'est pas lié au projet Philo.

— Incluant tes parents et les miens ? fait-elle, totalement incrédule.

Mike hésite avant de continuer.

— Euh... Peut-être qu'il est temps de les mettre au courant.

Shannon se laisse retomber sur le dossier du fauteuil pour prendre un peu de distance et mieux dévisager son mari.

— Est-ce que tu crois vraiment qu'un jeune homme de 23 ans va se plier à une telle mascarade ? Qu'il va accepter la responsabilité de deux enfants qu'il n'a pas conçus ?

— C'est ce que font tous les parents qui adoptent des enfants. Et puis, ceux-là sont de son propre sang.

— Cela ne veut pas dire qu'il sera prêt à en partager la responsabilité ! Et qu'est-ce que tu dis du fait d'être marié à une femme de 43 ans ? Hein ?

Mike emprunte un sourire enjôleur pour susurrer :

— Tu es encore une femme des plus séduisantes.

Le compliment manque sa cible, qui ne démord pas de son aigreur.

— Et moi dans tout cela ? continue-t-elle, avec fougue. Dans mon cœur, tu ne peux pas être remplacé par une version plus jeune. L'homme que j'aime est celui qui partage mes souvenirs. Celui avec qui j'ai conçu mes enfants. Tu es cet homme-là, pas lui. Ce n'est pas juste une question d'ADN.

Shannon se réfugie dans un silence orageux, les bras croisés sur la poitrine. Mike tente de lui caresser le bras pour la détendre, mais il est rejeté d'un haussement d'épaule. D'un ton conciliant, il ajoute :

— Tu n'es nullement obligée de te prêter à ce subterfuge. Mon *alter ego* ne sera pas autorisé à assumer mon identité tant et aussi longtemps que je vivrai. En fait, le plan est pour lui de retourner travailler dans la simulation. Tu n'auras pas à vivre avec lui. L'idée de lui donner mon identité vient de la difficulté d'en créer une toute nouvelle, qui lui permettrait de continuer à travailler pour le projet Philo. Une fois que je serai mort, tu pourras décider si tu veux rester mariée.

Shannon roule les yeux et se résigne à reprendre la discussion, même farfelue :

— As-tu conscience de l'absurdité de ce que tu dis ? Est-ce que le Pentagone suggère d'effacer ta mort des registres ?

— Non, seulement de ne jamais la déclarer.

Un silence s'abat sur le groupe après ce nouveau coup de théâtre, ce qui permet de discerner d'autres bruits. De faibles pleurs grésillent à partir du moniteur pour bébé. Shannon saute sur ses pieds et annonce qu'elle doit s'occuper d'Abi. Quelques minutes plus tard, elle revient sur la terrasse où les autres adultes sont encore perdus dans leurs réflexions pour, d'une voix inquiète, les prévenir que ce n'était pas Abi qui pleurait, mais Sandra. Elle ajoute que les enfants de Sophie et François ne sont pas dans leur chambre.

CHAPITRE 13

New York, le 5 septembre 2001

Laura est furieuse. Son frère a fait exprès de laisser un message sur le répondeur de son appartement plutôt que la joindre sur son portable. Bien sûr, maintenant, il ne répond pas à son propre téléphone. Elle se venge contre le pauvre appareil en effaçant le message avec rage. Elle est parfaitement consciente qu'elle partage l'appartement avec son frère en copropriété, un legs d'une tante éloignée. Elle sait également que Mike peut inviter qui il veut à l'appartement, dans la chambre d'amis. Elle préférerait toutefois qu'il joue l'hôte uniquement lorsqu'il est lui-même en ville.

Elle n'a pas le temps de se calmer avant d'entendre la sonnerie de la porte d'entrée. Présumant qu'il s'agit de l'ami dont Mike lui a annoncé l'arrivée, elle tente, après une longue respiration, de dissimuler son irritation en répondant à l'intercom. Après qu'il s'est identifié brièvement, elle accepte de le laisser monter à l'étage. Un cognement discret signale sa présence. Elle ouvre la porte avec vigueur. L'homme qu'elle voit sur le seuil la laisse un peu décontenancée. Il ne ressemble en rien aux amis maigrichons ou aux connaissances potelées de son frère. L'homme est un mur de muscles, aux iris d'un bleu tendre. Ses traits ne le porteraient pas candidat pour la couverture d'un magazine de mode, mais son être exhale une masculinité qui suscite des papillons dans le bas-ventre de la jeune femme. Elle en oublie un instant son ressentiment.

Jake est lui-même surpris par le physique de Laura. La photo extrêmement datée que Mike lui a montrée ne lui rend pas justice. À bien y penser, la photo a dû être prise à la fin de son école secondaire et non lors de sa graduation universitaire, comme il l'a cru. Le Navy SEAL s'attendait à des lunettes qui lui dévoreraient le visage. Des verres de contact sont probablement responsables de cette transformation. Le tailleur qui moule son corps fait ressortir des courbes aguichantes. Le regard de Jake s'égare plus longtemps qu'il ne le devrait dans sa balade descendante, sous le menton de son hôtesse. Se rappelant à l'ordre, il remonte vers le visage, mais n'atteint pas les yeux sans s'arrêter involontairement sur les lèvres. Charnues à souhait, elles adoptent progressivement une ligne mince et droite, qui alerte Jake au fait que leur propriétaire semble lutter intérieurement entre la courtoisie et l'exaspération. Il débute poliment :

— Mademoiselle Laura Simpson, je présume ?

— Oui. Je vous en prie, entrez, fait la jeune femme, en laissant le passage à son visiteur.

Elle referme la porte derrière lui, mais ne l'invite pas à s'avancer plus avant dans l'appartement. Jake laisse glisser la courroie de son sac de son épaule et prend la parole en hésitant :

— Est-ce que vous avez parlé à votre frère à propos de ma venue ?

— Oui, il m'a laissé un message téléphonique.

— Vous a-t-il fait part du but de ma visite ?

— Non, mais je sais très bien pourquoi il vous a invité ici.

Jake fronce légèrement les sourcils.

— Permettez-moi d'en douter.

— Vous ne connaissez peut-être pas très bien mon frère. Sachez qu'il est un entremetteur sans scrupules.

— Un entremetteur ? répète Jake, abasourdi.

— Oui. Depuis que j'ai atteint la trentaine, il s'est mis en tête de me trouver un mari.

Jake laisse évader un rire de sa gorge et s'empresse de se disculper :

— Je peux vous assurer que ce n'est pas le cas ici. Je n'ai aucunement l'intention de vous faire la cour.

Les mots n'ont pas sitôt quitté le seuil de ses lèvres qu'une arrière-pensée le réprimande. Il n'est pas tout à fait honnête. Ignorant le vague sentiment de déception que la remarque provoque en elle, Laura ne démord pas de son analyse :

— Je ne parle pas de vos intentions. Je parle de celles de mon frère. En trois mois, vous êtes le sixième homme qu'il invite à rester à l'appartement sans y venir lui-même. Il avait rencontré le visiteur de la semaine dernière un mois auparavant, brièvement, dans une conférence sur les propriétés de certains plasmas.

Jake perd son sourire.

— Il ne m'a pas dit ça, fait-il.

« Ils ne m'ont pas dit ça » songe-t-il, passablement irrité par le stratagème des deux Mike.

— Laissez-moi deviner, continue Laura. Vous êtes célibataire ou récemment divorcé, n'est-ce pas ?

— Célibataire, doit concéder Jake.

— Il vous a probablement suggéré de m'inviter à dîner dans un bon restaurant pour me remercier de mon hospitalité.

Jake cherche ses mots avant de répondre :

— Il a effectivement mentionné que vous aimiez aller au restaurant. Mais, qui n'aime pas ça ?

— Vous voyez ! Je n'ai pas l'intention de laisser mon frère me dicter ma vie et qui je rencontre. Je ne sais pas pourquoi vous avez besoin d'être à New York, mais cela ne m'intéresse pas. Je vais vous montrer où se trouve la chambre d'amis et nous tenterons de nous éviter pendant votre séjour. Je vous passerai même une clé de l'appartement.

— Mike m'en a déjà prêté une, l'informe Jake, sans trop savoir pourquoi il lui dit cela au lieu de protester contre le plan qu'elle formule.

Laura le dévisage un instant.

— Vous devez être un meilleur ami de Mike que je ne le croyais, pour qu'il vous laisse une clé, conclut-elle, surprise.

— Oui, je le suis. Cela fait près de douze ans que je le connais.

La perplexité prend possession des traits de Laura.

— Vous l'avez rencontré quand il avait 11 ans ! s'étonne-t-elle. Quel âge avez-vous donc ?

D'abord inquiet d'avoir commis une bévue, Jake voit maintenant comment il peut faire dévier la conversation vers le but de sa mission.

— 34 ans.

— Ce qui veut dire que vous en aviez 22 lorsque vous avez connu Michael. Dites-moi comment un adulte de 22 ans devient l'ami d'un garçon de 11 ans ?

— C'est une histoire intéressante. Peut-être puis-je vous la raconter assis dans votre salon ?

Un cognement sur la porte les interrompt. Laura prend le temps de vérifier par le judas optique, puis ouvre tout grand sur une jeune femme vêtue d'une jupe très courte.

— Salut, Kathleen, comment vas-tu ?

— Super, répond la nouvelle venue. Je vais rejoindre Mindy et Jocelyne à un club et je me demandais si ... Oh ! Tu as de la compagnie !

Kathleen vient de remarquer la silhouette derrière son amie. Un rapide examen lui fait redresser les épaules et adopter un sourire appréciateur. Laura a peine à ne pas rouler les yeux. Les bonnes manières l'obligent à dire :

— Kathleen, puis-je te présenter Jake Stanford, un ami de mon frère.

— Vraiment ? s'exclame Kathleen.

Laura comprend l'incrédulité de son amie, qui a eu la chance (ou la malchance) d'apercevoir les autres candidats envoyés par Mike. Elle poursuit à l'intention de Jake :

— Kathleen est une voisine et amie qui vit à quelques portes d'ici, sur le même étage.

Jake lui serre la main en se disant charmé de faire sa connaissance. Kathleen ne peut s'empêcher d'exprimer son scepticisme :

— Vous êtes vraiment un ami de Mike ?

— Oui, répond Jake, sans donner de détails.

— Et avant que tu arrives, il allait justement me dire d'où il connaissait mon frère, se rappelle Laura.

Deux paires d'yeux inquisiteurs se tournent alors vers Jake.

CHAPITRE 14

Côte d'Azur, le 15 juillet 2023

Shannon tient dans ses bras une Sandra qui hoquette encore, les joues lessivées de larmes.

Sophie lui demande doucement :

— Mon chou, est-ce que tu sais où Olivier, Gabi et Nat sont allés ?

Sandra secoue vigoureusement la tête.

— Comment savais-tu qu'ils étaient partis ? Est-ce que tu les as entendus ?

Un hochement, affirmatif cette fois, répond à la question.

— Je les ai... vus... descendre dans l'arbre, précise-t-elle, en reniflant.

— L'arbre à côté de leur chambre ?

Un autre mouvement de la tête sert de réplique.

— Dans quelle direction sont-ils partis après avoir sauté de la branche basse ? demande François, après s'être approché de l'enfant.

— Vers le... chemin.

François échange un regard avec Sophie, puis quitte la terrasse pour longer le côté est de la maison et rejoindre la route.

Jake n'a pas attendu les explications de Sandra pour se glisser silencieusement vers le jardin. Il actionne son téléphone en mode infrarouge et, tournant sur lui-même, il balaie lentement le verger.

Lorsque la lentille atteint la villa, il reconnaît la trace de François qui s'éloigne à droite et celles des autres occupants de la terrasse. Sa rotation l'amène à surveiller la région flanquée par le mur ouest de l'édifice. Il y découvre deux formes se déplaçant rapidement vers le devant de l'immeuble. Soudain, une troisième silhouette émerge du bas du mur et s'élance sur les talons des deux autres. Les trois fugitifs disparaissent derrière le coin de la maison. Jake quitte son point d'observation, à la poursuite des trois enfants. Il a presque atteint la façade nord, lorsqu'il entend l'exclamation de François :

— Ah ! Vous voilà, vous trois. Qu'est-ce que c'est que cette escapade ? Vous me devez des explications, mais d'abord, rejoignons les autres pour qu'ils cessent de s'inquiéter.

Jake revient sur ses pas et tente de trouver l'ouverture derrière laquelle les enfants s'étaient cachés. Allumant son téléphone en mode lampe de poche cette fois, il découvre le grillage béant. Chassant la noirceur de l'espace délimité par la clôture de broche, il devine ce à quoi elle interdisait l'accès. Il pousse un juron choisi. Lentement, il retourne rejoindre les autres sur la terrasse. Le pied sur la première marche, il entend Sophie les réprimander :

— À quoi avez-vous pensé ? C'est de la folie de grimper aux arbres dans le noir. Sandra a failli vous suivre.

De son angle de vision, Jake discerne trois enfants qui fixent la pointe de leurs chaussures et qui n'osent piper mot.

— Où êtes-vous allés ? demande François, d'un ton où la colère mijote.

En tant qu'aîné, Olivier décide de prendre le blâme et de subir le courroux de son père. Il prend une longue respiration avant de lever les yeux du plancher.

— C'est ma fau… commence-t-il.

Jake rejoint finalement le groupe et stoppe l'aveu d'Olivier en annonçant :

— Je sais où ils étaient. Il y a un espace étroit entre les planches du patio et le sol. Assez large toutefois pour des enfants. De là, ils ont pu entendre toute notre conversation.

CHAPITRE 15

New York, le 5 septembre 2001

Intérieurement, Jake récite une série de jurons. Il cimente un sourire sur ses lèvres et cherche frénétiquement une histoire crédible.

— Bon, d'abord je dois vous dire que je suis un Navy SEAL. Est-ce que vous savez ce que c'est ? ajoute-t-il, pour lambiner.

— Bien sûr, l'assure Kathleen, avec un intérêt redoublé. J'ai lu plusieurs romans où le héros en était un.

Le sourire de Jake se fait plus fragile et il entraperçoit le mouvement ascendant des prunelles de Laura.

— Bon. En tant que Navy SEAL, il m'est arrivé quelquefois de faire des présentations à des élèves. Quand un directeur d'école en fait la requête, accepter fait partie des relations publiques de la marine. J'ai rencontré Mike lors d'une de ces présentations.

— À onze ans ! Vous les recrutez bien jeunes ! proteste Laura.

— Dois-je vous rappeler que votre frère a sauté deux années du primaire parce qu'il était brillant. Il est donc entré jeune au secondaire.

Jake se félicite de s'être souvenu de ce détail. Cependant, il n'insiste pas et s'empresse de poursuivre :

— Mike s'est distingué en posant beaucoup de questions.

— Je l'imagine mal s'intéresser à la vie militaire, doute Laura.

— Euh… ses questions étaient plutôt des critiques.

— Ah! Ça, c'est plus probable.

— La discussion était si enlevée qu'à la fin nous avons échangé nos adresses et nous avons continué nos débats par correspondance. Voilà comment j'ai rencontré Mike.

Un silence s'établit au milieu du trio. Jake peut lire dans l'expression soupçonneuse de Laura qu'elle n'est pas convaincue. Kathleen a avalé tout rond son explication.

— Très intéressant! Pardonnez-moi. J'ai besoin d'y aller. Je suis attendue. Je me suis arrêtée au cas où tu aurais voulu m'accompagner, dit-elle à Laura, mais je présume que tu as d'autres plans.

— Absolument pas! Je peux venir au club. Donne-moi une minute pour aller chercher ma bourse.

Laura disparaît rapidement vers sa chambre à coucher. Estomaqué, Jake a la distincte impression qu'elle compte le laisser seul dans l'appartement, ce qui ne correspond pas à ce qu'il a en tête. Kathleen en profite pour l'inviter :

— Tu es le bienvenu si tu veux te joindre à nous, tu sais.

Le sourire enjôleur suinte de familiarité. La risette que Jake affiche en acceptant son offre n'a toutefois pas la raison qu'elle lui prête. Laura revient bientôt en se déclarant prête à partir. Galant, Jake ouvre la porte aux deux femmes. En passant le seuil, Laura lui lance par-dessus son épaule :

— Je préférerais que vous barriez la porte derrière nous.

Jake sort et utilise la clé que le Mike du futur lui a prêtée. Quelque peu étonnée de le voir du mauvais côté de la porte, Laura, s'exclame :

— Oh, vous avez rendez-vous ?

— Oui, Kathleen m'a gentiment invité à me joindre à vous, réplique-t-il avec un large sourire.

Celui de Laura vacille.

*   *
*

« Félicitations. Tu as vraiment bien réussi ta première impression. Si elle avait pu se désister, elle serait retournée se barricader dans son appartement. À cette table, elle a choisi la place la plus éloignée de toi, se fustige Jake. Comment lui faire comprendre qu'elle peut avoir confiance en moi ? Mon idée d'avoir un moment seul avec elle dans ce club était franchement farfelue. D'ailleurs, ce n'est pas comme si je pouvais, dans cette ambiance, lui demander de venir dans le futur avec moi. Il me faudrait le lui hurler. »

Le tableau qu'il forme, assis avec quatre jolies jeunes femmes, attise l'envie des autres mâles de la boîte de nuit. Depuis que l'orchestre de trois musiciens a commencé à jouer son répertoire, ses voisines n'hésitent pas à frôler ses oreilles de leurs lèvres. Un homme dans la trentaine, plus téméraire que les autres, approche pour inviter Laura à danser. Il a remarqué la pointe du pied qui marquait le rythme et le regard lancé avec envie vers la minuscule piste de danse. Laura accepte l'invitation comme si on lui lançait une bouée de sauvetage et Jake doit, à regret, consacrer son attention aux trois autres qui lui donnent l'impression de se tenir la tête à peine hors de l'eau. Il s'empresse de secourir Kathleen et se réjouit que deux autres hommes se portent volontaires pour Mindy et Jocelyne.

Tout en feignant de s'intéresser à Kathleen, il observe du coin de l'œil les déhanchements de Laura à quelques pas de lui. Un court arrêt de la musique pour laisser l'orchestre décider de la prochaine sélection lui donne le prétexte nécessaire pour changer de partenaire. Il s'incline devant Laura, avec l'intention bien nette de l'arracher à son compagnon.

— Mademoiselle Simpson, me feriez-vous le plaisir de m'accorder cette danse ?

François aurait été fier de lui (ou lui aurait ri à la figure). N'empêche que l'approche plaît à Laura qui lui octroie son premier sourire sincère de la soirée. Une musique lente à souhait invite à un contact plus intime que les contorsions précédentes. Laura consent à se laisser prendre dans ses bras tout en gardant une distance de quelques centimètres. L'épaule sur laquelle elle s'appuie lui paraît solide. Elle se force à lutter contre son attraction. Elle jurerait que la constante universelle de gravitation a augmenté de plusieurs ordres de grandeur. Où est-ce la constante de Coulomb qui a grimpé avec toute cette électricité dans l'air ?

— Je suis désolé de ruiner votre sortie entre femmes, lui chuchote-t-il à l'oreille.

— Vous ne la ruinez pas. Les autres semblent beaucoup apprécier votre présence.

— Les autres ? C'est une façon de me dire que vous, personnellement, ne l'appréciez guère. Qu'ai-je fait pour que vous me preniez en grippe à ce point ? Que dois-je faire pour mériter votre pardon ?

— Attention, si vous faites trop d'efforts, je pourrais penser que vous me faites la cour.

Son regard est direct mais indéfinissable. Doit-il y lire de la moquerie, de l'inquisition ou de l'insécurité ? Après un soupir, il tente de la raisonner :

— Pourquoi faut-il que le simple fait d'être déçu que vous m'évitiez, soit une preuve de mon désir de vous faire des avances amoureuses ?

— Vous m'avez si joliment demandé à danser, offre-t-elle comme pièce à conviction.

— Et puis après ? Je l'ai aussi demandé à Kathleen.

— Pour me prouver que vos intentions sont parfaitement neutres, il vous faudra aussi danser avec Mindy et Jocelyne.

— Qu'à cela ne tienne ! consent-il, une note d'exaspération dans la voix.

Le retour à un rythme endiablé annonce la fin de leur rapprochement. Laura prétexte d'aller aux toilettes et Jake se met à la recherche de ses deux prochaines partenaires. Il est bien décidé à se débarrasser de cette corvée le plus tôt possible.

Sa mission accomplie, il revient à la table pour n'y découvrir que Kathleen, en conversation animée avec un inconnu. Il étudie chaque visage autour de lui mais il ne repère pas celui de Laura. Il se décide à briser l'intense fascination de Kathleen pour son vis-à-vis.

— Où est Laura ?

Pas de réaction.

— Kathleen ! l'interpelle-t-il, plus fort.

— Hum ? grogne-t-elle, en faisant dériver le focus de son attention en spirale vers lui.

— Où est Laura ? Est-elle revenue des toilettes ?

— Elle est partie. Elle se disait fatiguée, répond-elle avec un geste évasif de la main, avant de se retourner vers son intérêt de l'heure.

« Elle a fait exprès de me tenir occupé pour pouvoir s'échapper », tempête Jake intérieurement.

— Je suis fatigué également. Je crois que je vais faire de même, enchaîne-t-il à l'intention de la voisine de Laura qui ne montre aucun signe de l'avoir entendu ou de vouloir l'entendre.

Jake se faufile entre les clients pour quitter le club. Il se retrouve bientôt sur un seuil battu par la pluie. « Il ne manquait plus que ça », constate-t-il, encore plus rembruni.

L'averse a chassé les passants et les taxis. Remontant le col de son coupe-vent, il presse le pas vers la station de métro la plus proche. Soudainement, il entend un cri de femme, puis un « Au secours ! » tronqué. Il part à la course en direction de l'appel. À l'entrée d'une ruelle, il s'arrête pour réécouter. La pluie qui joue de la cymbale sur les couvercles de poubelles masque les effluves sonores nocturnes. Il croit toutefois discerner des grognements provenant du sombre passage. Puis, un « Lâchez-moi ! » imbu de peur et de colère surpasse en décibels tous les autres sons. Jake croit reconnaître la voix de Laura. Il entend ensuite un cri de douleur, précédé d'un bruit que Jake identifie comme celui d'une gifle.

Il entre immédiatement en mode guérilla. Silencieusement et rapidement, il longe une des bâtisses délimitant la ruelle. Il préfère surprendre plutôt qu'être surpris. Il distingue bientôt une forme masculine qui tient contre un mur une femme sur le point de s'écrouler. Le coup qu'elle vient de recevoir la prive momentanément de sa combativité et de sa présence d'esprit. Une main sur sa bouche étouffe ses plaintes et une autre prend sa jupe d'assaut et la tire vers le haut. Le sang de Jake ne fait qu'un tour. Il s'élance vers l'agresseur. Une éclaboussure alerte le violeur de sa présence au tout dernier moment. L'homme interpose Laura entre lui et son sauveur, puis la pousse vers lui. Jake a tout juste le temps d'attraper Laura par la taille pour l'empêcher de s'affaler sur le pavé. Il la remet sur ses pieds tout en suivant l'assaillant du regard.

— Restez derrière moi, ordonne-t-il.

— Jake ? fait-elle, faiblement.

Avec fermeté, il la pousse en sécurité derrière lui. Entre-temps, le criminel vient de comprendre que la ruelle est un cul-de-sac. L'unique sortie se dessine derrière les silhouettes du couple. L'homme sort un couteau à cran d'arrêt de sa poche. Le faible reflet de la lame avertit Jake du nouveau danger.

— Laura, éloignez-vous d'ici le plus rapidement possible. Il est armé.

— Oh ! mon Dieu, gémit-elle.

Elle commence à reculer, puis aperçoit sa bourse, qu'elle avait perdue. Elle la récupère rapidement et en sort son téléphone. Les doigts tremblants, elle appuie sur le 9 et deux fois sur le 1. Pendant ce temps-là, Jake prend une position défensive et continue à surveiller l'avance du malfaiteur. Pas un seul instant ne songe-t-il à le laisser s'échapper. L'homme ·ne le mérite pas. Peut-être que dans son subconscient, le Navy SEAL veut s'absoudre du décès prochain de trois mille personnes dont il n'empêchera pas la mort.

— Enlève-toi de mon chemin si tu ne veux pas goûter de ce couteau, le menace l'inconnu.

— Au contraire, tu vas laisser tomber ton arme et te rendre. Il n'est pas question que je te laisse aller violer une autre femme quelque part en ville.

— Tu l'auras voulu, répond l'autre, dans un grognement de hargne.

Il accompagne sa bravade d'une attaque rapide destinée à transpercer le flanc gauche de son ennemi. La lame n'atteint toutefois que le vide, car Jake s'est esquivé puis, de la paume de sa main gauche, a poussé sur le coude de son adversaire pour l'aider dans son élan dans le mauvais sens. Simultanément, le poing droit de Jake survole l'avant-bras de son adversaire pour s'écraser entre ses deux yeux. Ne donnant pas le temps à son attaquant de se remettre de sa surprise, il saisit le poignet de la main encore serrée sur le manche du couteau et le tord, selon un angle incompatible avec la position des tendons. L'arme tombe sur le pavé, tout de suite écartée du pied à plusieurs mètres de son propriétaire. Jake met fin à l'engagement d'un coup de karaté sur la nuque de son antagoniste. Celui-ci s'écroule à ses pieds.

À l'entrée de la ruelle, Jake découvre Laura qui le fixe avec des yeux de biche surprise par les phares d'une voiture. Son portable reste en suspension à plusieurs centimètres de sa tête et émet des paroles inaudibles. Il s'avance lentement.

— Laura, est-ce que ça va ?

Elle ne semble pas vouloir sortir de sa transe. Il n'ose pas la toucher, car il imagine que le contact d'un homme est le dernier de ses désirs à ce moment précis.

— Puis-je répondre à votre téléphone pour vous ?

Délicatement, il retire l'appareil de l'enclave de ses doigts et le porte à son oreille :

— Qui est à l'appareil ?

La réponse qu'il reçoit, lui fait dire :

— Exactement ceux à qui je voulais parler. Ici Jacob Stanford. Une jeune femme vient d'être attaquée ici. J'ai pu… immobiliser son agresseur. J'ai besoin d'une patrouille pour arrêter le coupable en bonne et due forme.

Jake donne les coordonnées de l'endroit, puis coupe la communication. Il tend le BlackBerry à sa propriétaire qui s'en empare d'une main tremblotante.

— Laissez-moi m'assurer que votre agresseur n'est plus en état de nous surprendre.

Un faible hochement de tête lui donne la permission de s'éloigner. Il s'accroupit bientôt près de l'homme et vérifie son pouls. Rassuré de ne pas avoir un cadavre sur les bras, il lui enlève les lacets de ses chaussures pour lui lier les mains et les pieds. Sa tâche terminée, il retourne vers une jeune femme qui semble avoir repris possession d'une partie de son calme. Elle serre toutefois les bras sur sa poitrine dans un geste illusoire d'autoprotection.

— Pourquoi ne l'avez-vous pas laissé partir ? l'accuse-t-elle. Il aurait pu vous tuer. C'est insensé. Vous fallait-il vraiment jouer le héros ?

Jake reste bouche bée.

— Vous auriez préféré que je n'intervienne pas ? proteste Jake, lorsqu'il retrouve l'usage de la parole. Que je le laisse vous violer ?

— Bien sûr que non ! se défend-elle. C'est juste après. Il était armé. C'était dangereux.

— Je savais ce que je faisais. Je suis formé pour faire face à de telles situations. Cela fait partie de mon boulot.

Laura conserve son attitude boudeuse et refuse de le regarder en face.

— Et puis, tout cela est de votre faute, énonce-t-elle d'un mouvement du menton.

Jake n'en croit pas ses oreilles.

— Comment diable est-ce que cela peut-être de ma faute ?

— Si vous n'étiez pas arrivé à mon appartement, je ne serais pas sortie ce soir. J'étais très fatiguée par ma journée de travail. J'aurais refusé l'offre de Kathleen. Je n'aurais pas été en train de marcher toute seule dans le noir et je n'aurais pas été sur le chemin de ce salaud, débite-t-elle d'un trait.

Jake n'a pas de réponse contre ce raisonnement-là, car il a parfaitement conscience que c'est probablement vrai. Le silence est bientôt peuplé par une sirène. La voiture de police s'immobilise devant eux.

*   *
*

— Un Navy SEAL ! On me dit que vous êtes un Navy SEAL ? s'exclame l'agent qui les accueille au poste de police.

Jake acquiesce d'un sourire crispé. On leur a demandé, à Laura et à lui, de venir au poste faire des dépositions.

— Un bon ami à moi est aussi un Navy SEAL, dévoile le policier. Peut-être le connaissez-vous ? Stanley Weston ?

— Non. Désolé, réplique Jake d'un ton ferme.

— Quand avez-vous fait votre entraînement BUD/S[1] ? continue son interlocuteur, sans capter le manque d'entrain de son interlocuteur pour cette conversation.

— Il y a environ 15 ans, émet Jake, avec réticence.

— Ce serait à peu près en même temps que Stan, insiste le constable. Êtes-vous certain de ne pas le connaître ?

— Il y a beaucoup d'hommes dans ces camps d'entraînement. On ne peut pas connaître tout le monde.

Tel un chien qui s'acharne sur un os, l'officier n'en démord pas :

— Où êtes-vous cantonné ?

— Coronado, Californie.

— C'est là qu'il est lui aussi !

— Je suis désolé, mais pouvons-nous en venir à cette déposition ? Mademoiselle Simpson a hâte de rentrer chez elle.

Le détective Peter Davenport n'apprécie pas de voir étouffer ses effusions d'enthousiasme. Son instinct flaire un manque de transparence. Il n'insiste pas. Pour le moment. Un coup d'œil vers Mlle Simpson lui fait décider de laisser un

---

1. BUD/S est un acronyme pour Basic Underwater Demolition/SEAL training (entraînement de base de démolition sous l'eau).

collègue s'occuper du militaire. Il charme celle-ci par sa sollicitude et soigne le bleu qui lui colore maintenant la joue. Après avoir décliné son nom et son adresse, Laura lui relate les événements de la soirée, en commençant par son départ du club.

— Est-ce que vous passez régulièrement seule par cette rue à une heure aussi tardive ? lui demande le policier.

— Non. Lorsque je vais à ce club, je reviens d'habitude avec une ou plusieurs de mes amies. Ou je prends un taxi.

— Pourquoi ne l'avez-vous pas fait ce soir ?

— Avec la pluie, tous les taxis étaient déjà occupés. J'étais fatiguée. Je voulais rentrer au plus vite. Je n'ai pas voulu attendre. Pourquoi me demandez-vous cela ?

— Juste pour savoir si votre attaquant savait que vous alliez passer par là, s'il connaissait vos habitudes.

— Absolument pas. Je ne connais pas cet homme. Je me suis trouvée à cet endroit tout à fait par hasard. Il devait avoir prévu d'attaquer la première femme seule qu'il rencontrerait.

Le policier consulte et annote les documents disposés devant lui pendant quelques secondes.

— Votre description des faits coïncide avec celles de plusieurs attaques rapportées dernièrement dans ce quartier. C'est toute une chance que monsieur Stanford soit passé par là et qu'il ait pu vous secourir.

— Ma chance a plutôt été qu'il soit sorti du club peu de temps après moi.

— Vous l'aviez vu dans cette boîte ? fait le détective, interloqué.

— Il m'y a accompagnée avec un groupe de mes amies.

— Ah, vous le connaissez, alors ?

— Non, pas vraiment. Je l'ai rencontré ce soir. Il se dit un ami de mon frère.

L'attitude de l'agent se fait plus attentive. Il penche le thorax vers son bureau et croise les doigts devant lui pour se rapprocher de la jeune femme.

— Pourquoi dites-vous « se dit » ? Avez-vous des raisons de croire qu'il ne l'est pas ?

— Pas vraiment. C'est juste que mon frère ne m'a jamais parlé de lui. Il est arrivé comme cela à mon appartement, avec une clé que mon frère lui aurait prêtée. Il compte utiliser la chambre d'ami.

— Je vous suggère fortement de contacter votre frère pour vérifier s'il connaît bel et bien cet homme.

— Mon frère m'a laissé un message me prévenant de l'arrivée de monsieur Stanford.

— Oh ! fait le policier, quelque peu déconfit.

Son museau de fureteur vient de rencontrer un obstacle inattendu. Il a besoin de faits concrets pour donner du poids à ses soupçons théoriques. Une fois le couple parti du poste en direction du domicile de la jeune femme, le policier envoie un courriel à Stan.

CHAPITRE 16

Côte d'Azur, le 15 juillet 2023

— Maman, est-ce que Nat, Olivier et Gabi vont être punis pour être descendus dans l'arbre ? demande Sandra piteusement, en laissant sa mère la border.

— Je ne sais pas. C'est la décision d'oncle François et de tante Sophie. Toi, tu as bien fait de ne pas les suivre. Il est tard. C'est le temps de dormir. Je vais fermer ta porte et ta fenêtre. Je ne veux pas que tu sortes de ta chambre avant demain matin. Fais de beaux rêves !

Shannon embrasse sa fille sur le front et quitte la pièce silencieusement. Elle sait que la fillette sera bientôt endormie, car ses paupières luttent contre la gravité depuis plusieurs minutes. En redescendant l'escalier, l'épouse de Mike tente de repasser dans sa tête les propos de la dernière demi-heure. Dans quelle mesure ont-ils divulgué, sans le savoir, la teneur du projet Philo à la progéniture de François et Sophie ? Apprendre que les enfants ont probablement entendu toute leur conversation les a fait se regarder avec effroi. Personne n'osait plus parler. Jake a tout de suite insisté pour que Sandra soit mise au lit.

Shannon espère n'avoir rien manqué des débats pendant sa courte absence de la terrasse. Elle découvre tout le monde assemblé à l'intérieur, dans un salon aux fenêtres hermétiquement fermées et voilées. Elle entre en même temps que Jake, dont la ronde autour de la villa n'a détecté personne d'autre à l'affût. Ils peuvent parler sans crainte. Les trois enfants, assis en ligne, n'osent pas s'appuyer sur le dossier du divan. Les adultes ont pris place dans des fauteuils ou dans des chaises empruntées de la salle à manger et disposées en face. Ne pouvant plus se retenir, François demande :

— Depuis quand est-ce que vous nous espionnez ?

Olivier prend une longue respiration pour se rasséréner avant de débuter :

— Quand mon oncle a arrêté de jouer avec nous cet après-midi, nous avons décidé d'imiter des Navy SEALS.

La révélation fait grimacer Jake.

— Gaby et moi, on s'est cachés sous la terrasse et on a écouté ce que vous disiez, continue le jeune garçon. Vous parliez de la prochaine mission d'oncle Jake. Vous avez dit qu'il y aurait une attaque terroriste contre le World Trade Center et que vous ne feriez rien pour l'empêcher.

— Vous n'avez quand même pas pensé que nous étions des terroristes ? fulmine François.

— Non, non, intervient Nat. C'est ça que j'ai dit à Olivier quand il m'a tout raconté.

— On a voulu en savoir plus long, enchaîne Olivier, et on est revenus écouter votre conversation ce soir.

— Et qu'est-ce que vous avez appris de plus ? les presse Mike.

Les trois enfants se regardent avant de répondre. Olivier se fait de nouveau leur porte-parole :

— Nous sommes tous très désolés que l'oncle Mike souffre d'une si affreuse maladie.

— Dire que vous avez inventé une machine à voyager dans le temps, dit Gabi en levant des yeux où brillent des étincelles d'enthousiasme effréné. C'est super ! Fantastique ! C'est fou que vous puissiez ressusciter n'importe qui, Einstein, Beethoven, Jules César. Mandou, notre chat, s'est fait écraser par une voiture l'été dernier. Ne pouvez-vous pas le sauver ? J'ai de la peine, oncle Mike, que vous soyez malade. Pourquoi n'allez-vous pas chercher une copie de vous-même juste avant votre cancer, elle serait plus proche en âge de tante Shannon ? Non ? Qui d'autre avez-vous ressuscité ? Est-ce qu'on les a déjà rencontrés sans le savoir ?

Son regard surexcité balaie les visages des adultes soudainement atterrés. Nul ne dit mot. Gabi attend avec impatience des réponses à ses questions, sourire aux lèvres. François devine plus qu'il ne le voit le brusque raidissement du dos d'Olivier. La mâchoire de son fils s'affaisse et ses yeux s'agrandissent. Il ne doute pas qu'Olivier ait percé le mystère d'une des questions de son cadet.

CHAPITRE 17

New York, le 6 septembre 2001

Sous ses yeux fatigués, les cotes de la bourse montrent les symptômes de la danse de Saint-Guy. Laura se frotte les paupières pour asservir les numéros rebelles. Elle frôle sa joue qui lui télégraphie le souvenir du bleu dissimulé derrière une épaisse couche de fard. Peine perdue, car ses collègues les plus intimes ont tenu à en connaître la provenance. L'allusion à l'attaque leur a fait critiquer sa décision de venir au travail ce jour-là, après un tel traumatisme. Elle ne tient pas à leur dire que la raison principale de sa présence au travail aujourd'hui est d'éviter son invité-surprise.

Hier, dans le taxi qui les transportait vers son appartement, ils ont gardé le silence, le chauffeur de taxi jouant le chaperon. Le seuil de sa résidence dépassé, elle s'est réfugiée dans la salle de bain pour ensuite fuir vers sa chambre à coucher, sans lui laisser le temps de lui souhaiter bonne nuit. Elle a appliqué le même stratagème ce matin, en sens inverse. Elle ne saurait dire ce qui la pousse à tant éviter sa présence. La peur d'être repoussée ou la peur d'être attirée ? Elle mijote encore ces réflexions lorsque son portable donne signe de vie. Intriguée par le nom qu'il affiche, elle y répond :

— Oui. Allo ?

— Mademoiselle Simpson ? Le détective Davenport à l'appareil. Nous nous sommes vus hier au poste de police pour votre déposition.

— Oui. Oui. Je me souviens très bien de vous. Avez-vous encore des questions à me poser ?

— Pas vraiment. J'ai besoin d'entrer en contact avec monsieur Stanford. Vous m'avez laissé entendre qu'il demeurait chez vous pendant son séjour à New York, n'est-ce pas ?

— Oui. C'est cela.

— S'il n'est pas à votre appartement, est-ce que vous savez où je pourrais le joindre ?

— Non. Je dois vous avouer que je ne lui ai pas demandé quelle serait la durée de son séjour. Je ne sais même pas s'il sera chez moi ce soir quand je rentrerai.

Son interlocuteur cherche ses mots avant de continuer, débattant intérieurement de la sagesse d'en dire davantage :

— J'ai communiqué avec un de mes amis Navy SEAL. Il m'a dit ne pas connaître de Jake Stanford cantonné à Coronado. À mon insistance, il a même vérifié auprès du service du personnel de la base. Il n'existe pas au pays de Navy SEAL qui s'appelle Jacob Stanford.

Le silence s'installe sur la ligne ou plutôt sur les ondes électromagnétiques. L'agent laisse l'information se distiller dans le cerveau de Mlle Simpson.

— Pourquoi m'aurait-il menti ? finit-elle par émettre.

— Peut-être est-ce sa façon de se rendre intéressant auprès des femmes ! Je ne sais pas.

— Pourtant il s'est très bien défendu contre mon assaillant.

— Un homme n'a pas besoin d'être un Navy SEAL pour avoir des connaissances en auto-défense. Cette tromperie ne serait pas grave s'il n'avait pas signé une déposition avec une fausse adresse. C'est pousser la comédie trop loin. C'est louche, pour ne pas dire illégal. Nous avons besoin de lui, au cas où son témoignage soit nécessaire pendant le procès contre votre assaillant. S'il revient chez vous ce soir, vous serait-il possible de me contacter discrètement ? J'enverrais immédia-tement deux policiers chargés de l'amener au poste pour un interrogatoire à propos de son domicile et de son identité. N'essayez pas de le questionner vous-même ! Nous ne savons pas ce qu'il tient tant à cacher.

Après un moment d'hésitation, Laura consent à se prêter au jeu.

*   *
*

Jake feuillette distraitement un numéro de l'*Eco-nomist* qui traînait sur la table à café chez Laura. Il a passé la journée à l'entrepôt et participé à l'ins-tallation du service de surveillance de leur nou-veau point de transfert. Il s'est assuré, toutefois, de revenir à l'appartement bien avant le retour de Laura, pour être certain de lui parler. Afin de l'amadouer, il a même fait les emplettes néces-saires à la préparation d'un délicieux souper.

Son attention dévie vers le bruit d'insertion d'une clé dans la porte d'entrée. Jake respire lon-guement pour se donner le courage d'entamer la conversation qui va suivre. Il a passé l'après-midi à essayer des scénarios dans sa tête, mais il n'est toujours pas convaincu d'avoir trouvé la meilleure approche. Il se lève de son fauteuil au moment où son hôtesse fait irruption dans la pièce. Il se fait le plus accueillant possible, heureux qu'elle n'ait pas recruté un ou une amie pour l'accompagner. Laura ne daigne même pas lui accorder un regard. Elle fonce avec une détermination de locomotive à pleine vapeur vers la chambre d'amis.

— J'ai besoin de vous parler, dit-il, avant de la voir disparaître dans le corridor.

Pour éviter qu'elle l'aveugle de nouveau avec une poignée de poudre d'escampette, il se place devant la porte d'entrée, dont il vient de tourner le verrou et de tirer la chaîne. Laura ne tarde pas à revenir au salon avec le sac de voyage qu'elle traîne derrière elle, car elle n'a pas réussi à le soulever.

— Que faites-vous avec mes bagages ? s'indigne Jake.

Elle repousse ses cheveux de ses yeux d'un coup sec de la tête, avant de le dévisager.

— Je veux que vous partiez à l'instant et que vous ne reveniez plus. J'aimerais aussi que vous me redonniez la clé de mon appartement.

Les poings sur les hanches, elle s'attend qu'il obéisse sur-le-champ. Jake tente d'atténuer le niveau de belligérance dans l'altercation :

— Je vous en prie, laissez-moi vous expliquer la raison pour laquelle je suis ici.

— Je ne veux rien savoir. Si vous partez sans faire de scène, je dirai à la police que je ne vous ai jamais revu.

— Qu'est-ce que la police a à faire là-dedans ? fait Jake, en fronçant les sourcils.

— Vous avez donné une fausse adresse. Vous avez menti. Vous m'avez raconté n'importe quoi.

Vous n'êtes pas un Navy SEAL. Vous n'avez pas votre résidence permanente sur une base en Californie. La police veut vous interroger au sujet de votre fausse identité. Partez !

D'une voix calme, qui contraste radicalement avec le ton strident qu'emprunte Laura, Jake énonce :

– Je ne vous ai pas menti. Je suis bel et bien un Navy SEAL. Je réside à Coronado, tel que je l'ai inscrit sur la déposition. Il y a par contre un détail que je ne vous ai pas dit, que je n'ai pas encore eu le temps de vous donner, car vous avez évité de vous retrouver seule avec moi. Il s'agit du fait que je ne deviendrai un Navy SEAL qu'en l'an 2010, à l'âge de vingt ans. Je n'habiterai à la base de Coronado qu'à partir de cette année-là.

Laura cligne des yeux plusieurs fois, puis marmonne :

– C'est pire que je le croyais. Vous êtes complètement dingue. Non seulement vous vous croyez un Navy SEAL alors que vous ne l'êtes pas, mais vous pensez être un voyageur dans le temps !

– Je sais que cela est difficile à croire, mais laissez-moi vous le prouver. Après tout, je crois avoir réussi à convaincre votre frère.

– Ah, oui. Mon frère ! Je l'avais oublié celui-là. Qu'est-ce qu'il vient faire là-dedans ?

– J'ai rencontré Mike pour la première fois en 2012, après qu'il soit devenu le directeur du projet de recherche Philo, qui comprend une simulation du passé.

– Je ne sais vraiment pas pourquoi je continue à vous écouter. Vous divaguez. Je n'ai pas les compétences pour faire face à votre état mental. Sortez d'ici immédiatement ou j'appelle la police.

Jake prend une grande respiration pour rallier tous ses efforts diplomatiques.

— Je ne suis pas ici pour vous faire du mal, continue-t-il d'une voix douce. Au contraire, je suis ici pour vous sauver la vie.

— Me sauver la vie ? Ah ! Parce qu'en plus vous savez comment je vais mourir !

— Oui, je le sais. C'est pourquoi je vous propose de venir dans le futur pendant quelque temps pour éviter votre destinée.

Laura dévisage son visiteur avec une expression de complet ébahissement :

— Vous avez vraiment pété les plombs ! Dites donc !

— Vous ne viendriez pas seule dans le futur, continue Jake, bravement. Votre frère vous accompagnerait.

— Vous voulez vraiment me faire croire que mon frère a accepté de vous suivre dans le futur ?

La fine ligne entre le mensonge et la vérité se dessine clairement sur son horizon. Jake décide de s'engager sur cette corde raide avec une longue perche :

— Oui, il a accepté de me suivre... mais pas sans vous.

— Ah ! C'est bien Mike, s'exclame Laura. Il n'est pas arrivé à se débarrasser de vous, donc il m'a délégué cette tâche ! Et bien sûr, il ne répond pas à mes appels.

— Il veut réparer une erreur dans sa thèse avant de partir. Cela le préoccupe beaucoup. Il m'a envoyé à sa place vous convaincre de ne pas aller au travail mardi prochain.

— J'ai une présentation importante à faire ce jour-là, annonce-t-elle d'un air déterminé, le résultat de plusieurs mois de travail. Il n'est pas question que je n'y aille pas.

— Vous iriez à votre mort. Deux avions commerciaux détournés par des terroristes vont s'écraser contre les tours du World Trade Center, faisant près de trois mille morts. Je compte bien m'assurer que vous ne ferez pas partie de ce bilan. J'utiliserai la force s'il le faut.

Laura vacille et blêmit visiblement. Elle recule avec horreur.

— Vous êtes complètement fou, bafouille-t-elle, en se précipitant sur le téléphone accroché au mur.

Jake coupe la communication avant qu'elle puisse appuyer sur le dernier 1. Elle lui lance le combiné à la tête. Elle court ensuite vers sa bourse pour en retirer le BlackBerry. Jake lui arrache le sac des mains, tout en lui faisant savoir qu'elle ne peut pas avertir les autorités de l'attaque imminente. Il la prend par la taille pour l'empêcher de récupérer l'objet qu'il a lancé à l'autre bout de la pièce. Elle se débat comme une chatte effarouchée. Il tente de l'immobiliser en la tenant contre lui. Il a besoin de ses deux mains pour arrimer les siennes, lorsqu'il s'aperçoit qu'elle s'apprête à hurler au secours. Il utilise ce qu'il a de plus proche pour bloquer le son : ses lèvres contre les siennes.

CHAPITRE 18

Côte d'Azur, le 15 juillet 2023

Olivier est plutôt ennuyé par la spontanéité de son frère. Il aurait préféré discuter avec lui et Nat pour vérifier s'ils avaient tous bien entendu la même chose. Oncle Jake les a découverts avant qu'ils ne puissent partager leurs impressions. Où Gabi est-il allé chercher cette idée de ressusciter César ? Trop d'Astérix et Obélix peut-être ? Et celle de rendre la vie à Mandou ? Comme si les gens du Pentagone n'avaient pas d'autres chats à fouetter ! Oups ! Il retient le sourire que ce jeu de mots vient d'engendrer. Il a vu sa mère tressaillir et regarder son père quand Gabriel a demandé s'ils avaient déjà rencontré, sans le savoir, des gens venant du passé. Elle connaît donc un rescapé d'une autre époque. Qui peut-il être ?

Un frisson d'effroi lui parcourt le corps quand, brusquement, s'impose à son esprit le tableau du comte de Besanceau qui trône dans le salon de la famille d'oncle Pierrot. Le portrait ressemble comme deux gouttes d'eau à son père. Il a été peint en 1777. Olivier tente d'abord de repousser les soupçons qui l'assaillent : le manque de photos d'enfance de son père, son expertise à l'escrime, son côté vieux-jeu. En vain.

— Vous êtes le dernier comte de Besanceau, n'est-ce pas ? avance-t-il, les yeux dans ceux de son père.

Ce dernier n'ose nier ni acquiescer. Il se sent pris au piège par l'intensité d'Olivier. Il cherche ses mots. Par contre, Gabi trouve les siens :

— Qu'est-ce que tu dis là ?

L'exclamation détourne l'attention d'Olivier vers son frère cadet.

— Ne comprends-tu pas ? l'apostrophe-t-il. L'aristo sur le tableau, à La Grue, c'est lui. Le type qui est le portrait tout craché de notre père, c'est lui. Il lui ressemble autant, parce que notre père est le comte de Besanceau, le dernier du nom.

— Tu n'y penses pas ! s'écrie Nat.

Olivier s'échauffe :

— Pourquoi pas ! Il est maître d'armes au club d'escrime qu'il fréquente. Excellent cavalier. Un peu vieux jeu. Plus qu'un peu, en fait. Il tient à ce qu'on le vouvoie tout le temps. Tu ne t'es jamais demandé pourquoi on peut tutoyer maman et pas notre père ? Et ses photos d'enfance qui n'existent pas !

— C'est à cause de l'incendie qui a détruit tous ses souvenirs, proteste Gabi.

— Y-a-t-il vraiment eu un feu ou est-ce une excuse ? propose Olivier. Et je vous gage que toute la famille de tonton Pierrot est au courant. Autrement, pourquoi auraient-il tenu autant à fêter le trente-quatrième anniversaire de papa ?

Natalie fronce les sourcils en s'interrogeant sur ce sujet :

— Je ne vois pas ce que tu veux dire.

— La pierre tombale du comte de Besanceau indique qu'il est mort à l'âge de 33 ans, lui explique Olivier. N'est-ce pas une bonne raison pour festoyer que d'atteindre son trente-quatrième anniversaire ?

— Et maman là-dedans ? Viendrait-elle aussi du passé ? demande Nat.

Les trois enfants se retournent vers les adultes qui ont assisté avec inquiétude à la cascade de leurs arguments.

— Vous savez très bien que je suis née en 1991, proteste Sophie, d'un air indigné. Tu as vu toutes les photos de famille, chez grand-maman et grand-papa Dumouchel.

— Maman, as-tu vraiment rencontré papa à une banale fête ? insiste doucement Natalie.

Les épaules de Sophie s'affaissent.

— J'ai rencontré votre mère le 1er mai 1768, dit François, après une courte hésitation. J'avais 21 ans à l'époque.

Cette admission est suivie d'un soupir de soulagement collectif, faisant prendre conscience aux adultes qu'ils avaient retenu leur respiration. L'accalmie ne dure pas. Le prochain souffle des enfants est entrecoupé de « comment », de « quand », « d'où » et de « pourquoi ».

CHAPITRE 19

New York, le 6 septembre 2001

La première réaction de Laura à la pression des lèvres de Jake sur les siennes est la stupeur. Elle se raidit et abandonne ses efforts infructueux pour libérer ses poignets de l'étau de ses doigts. Elle retient sa respiration et attend, avec trépidation, le prochain assaut, qui ne vient pas. Un retrait d'un millimètre lui laisse comprendre que le moindre indice de nouvelle tentative pour appeler à l'aide aboutirait à un nouveau calfeutrage. Le souffle chaud de l'haleine de Jake attise des braises insoupçonnées. Avant de pouvoir se retenir et en analyser les conséquences, elle referme l'écart entre leurs bouches. Le frémissement qui se propage dans le corps de l'ami de son frère est transmis au sien.

Il contre-attaque en intensifiant la pression. À partir de ce moment, le baiser balaie toutes les autres préoccupations de leur cerveau. Le sang de Jake prend un détour vers le bas, ce qui ne manque pas d'être remarqué par Laura en raison de leur extrême proximité. Pour mieux la prendre dans ses bras, il lâche les mains de sa compagne. Cette liberté soudaine n'est pas utilisée pour le repousser, mais pour lui caresser la chevelure et le retenir à la base de la nuque.

Après un long moment d'extase, une pensée s'infiltre dans la cervelle exsangue de l'homme, qui l'oblige à repousser la jeune femme à bout de bras, puis à faire un pas en arrière.

— Je suis désolé, bafouille-t-il. Je ne voulais pas vous agresser de la sorte. Je ne sais pas ce qui m'a pris. Je ne voulais pas vous embrasser.

Au haussement de sourcils que cette remarque provoque, Jake doit amender ses propos :

— Non, c'est faux. J'ai eu le goût de vous embrasser dès que je vous ai rencontrée, mais je croyais avoir un meilleur contrôle sur moi-même. Veuillez m'excuser. Cela n'arrivera plus.

Sa résolution allume un feu de fureur dans les yeux de Laura, qui s'avance vers le soldat et empoigne l'avant de sa chemise pour l'attirer à elle. Elle utilise le même moyen pour le faire taire que celui qu'il a employé. Il lui oppose une bien maigre résistance. Lorsque les doigts de la jeune femme s'infiltrent entre sa chemise et sa peau, il en fait autant. Le champ de bataille gravite bientôt vers la chambre à coucher.

* *
*

— Je ne suis pas comme cela normalement, tu sais, murmure Laura, la tête au creux de l'épaule nue de Jake.

— Comme quoi ? réplique celui-ci.

— Comme une femme qui couche avec un homme rencontré la veille.

— Je ne suis pas comme cela non plus.

— Comme quoi ?

— Comme un homme qui couche avec une femme rencontrée la veille. Surtout la sœur d'un de ses meilleurs amis.

— Tu regrettes ?

— À ce moment précis ? Absolument pas.

La jeune femme émet un gloussement de plaisir et se moule davantage au corps chaud à côté d'elle. Jake, après un soupir, décide de continuer la conversation si agréablement interrompue :

— J'ai besoin de te prouver que je viens bel et bien du futur.

Le raidissement qui saisit Laura lui indique son changement d'humeur.

— Je t'en supplie, donne-moi le temps d'expliquer, cette fois. J'avais pensé te montrer des films pris le jour de la destruction des tours, mais je crois que ce serait trop angoissant. Tu pourrais y reconnaître des visages de gens en panique. Alors, dis-moi ce qui te convaincrait.

— Tu ne vas recommencer avec cette histoire folle ? s'impatiente Laura.

— Il le faut. Que dois-je faire pour te faire comprendre que je dis la vérité ? Fais travailler ton imagination.

— Est-ce que tu connais l'indice Dow Jones pour le prochain mois ? fait-elle, juste pour entrer dans le jeu.

— Oui, mais j'aimerais te convaincre en moins d'un mois ! Combien de prévisions réalisées avec exactitude te faudrait-il ?

— Une dizaine au moins !

— Que dirais-tu d'aller aux courses au Parc Belmont ? C'est l'ouverture de la saison automnale, demain. Je connais les noms des chevaux gagnants. Nous pourrions assister à environ dix courses, chacune avec au moins dix bêtes. La probabilité de bien choisir, aléatoirement, les gagnants dans toutes ces courses est d'un sur dix milliards. Une bien faible chance de réussir un tel exploit sans connaître le futur.

Laura se soulève sur un coude pour mieux dévisager son amant. Elle est presque tentée de contester ce calcul, qui assume que chaque cheval a la même chance de gagner. Elle se retient d'argumenter en se faisant la réflexion que l'exercice pourrait servir à repêcher Jake de l'illusion dans laquelle il se noie. Il devra se rendre à l'évidence lorsqu'il aura perdu suffisamment de paris.

— Si vraiment tu peux prédire les gagnants, je pourrais peut-être commencer à croire tes fariboles. Je veux bien aller aux courses avec toi, puisque mon patron a insisté pour que je prenne la journée de demain. Je n'avais pas la tête à travailler aujourd'hui, après le traumatisme d'hier.

— Splendide ! Je te préviens que nous ne pourrons faire aucune gageure. Il ne m'est pas permis d'utiliser cette information pour m'enrichir.

— Pourquoi ? s'exclame Laura, qui voit une partie de son stratagème s'écrouler.

— Parce que nous devons passer inaperçus. Il nous faut perturber le moins possible le flot des événements.

Laura prend une mine boudeuse, puis se dit que, pari ou pas, il devra se rendre compte qu'il ne peut pas deviner le futur.

— As-tu faim ? Moi, je suis affamé et j'ai justement acheté de quoi te gâter, enchaîne Jake en quittant le lit.

— Ah! Cette fois le numéro 4 est bien en arrière! Tu vas voir, il va perdre! s'écrie Laura, au comble de l'excitation. Allez le 7! Tu y es presque! hurle-t-elle, en direction de la piste de course, après s'être soulevée de son banc.

Jake s'amuse de l'enthousiasme de sa compagne qui avait le caquet bas, quelques minutes plus tôt, et des excuses bourrées de coïncidences pour expliquer l'exactitude des prévisions des quatre premières courses.

— Allez le 7! Non. Non. Non. Le 4, tu restes en arrière! Non. Non. Ce n'est pas possible! Voyons le 7, grouille-toi! Encore quelques verges. Tu y es presque. Non!

Laura se laisse tomber sur son siège, pendant que l'annonceur chante les louanges du numéro 4 et de sa remontée spectaculaire. Jake se garde bien de dire mot et cache son sourire derrière sa main. Les yeux fixés droit devant elle, Laura demande d'un ton lassé :

— Qui est le prochain gagnant?

— Aria, le numéro 2.

La jeune femme soupire lourdement avant de commenter :

— Je ne peux pas y croire. Les résultats de ces courses doivent être déterminés à l'avance par les propriétaires. Je ne vois pas d'autres explications.

— Ne sois si mauvaise perdante et essaie de donner un peu de crédibilité à mon explication.

Laura se redresse et se tourne brusquement vers lui.

— Qui est le gagnant de la dernière course?

– Le numéro 5. Un cheval nommé Flimsy, répond-il en hésitant, quelque peu inquiet de la détermination qu'il lit dans les yeux de la jeune femme.

Cette dernière quitte son côté pour longer, d'un pas rapide, les sièges de la rangée dans laquelle ils avaient pris place.

– Que fais-tu ?

Il s'empresse de lui emboîter le pas. Elle quitte les gradins, puis se dirige vers les comptoirs d'enregistrement de gageures. Devinant sa destination, Jake a tôt fait de la rejoindre et de lui saisir le coude pour briser son avance.

– Tu ne peux pas placer un pari. C'est interdit, siffle-t-il entre les dents.

– Tu as peut-être promis de ne pas le faire, mais moi je n'ai pas pris un tel engagement, argumente Laura. Et puis, je ne gagne jamais à ce genre de truc. Donc, si je mets de l'argent sur Flimsy, il est certain de perdre, ce qui va briser ton record parfait de victoires.

– Tu te moques de moi ! s'écrie-t-il, stupéfié. Tu ne peux quand même pas croire que tu as le monopole de la malchance et que cela va brouiller le cours de l'histoire !

– Je ne sais que croire ! Alors, aussi bien en profiter ! lance-elle, en dégageant son bras et en reprenant sa marche pressée.

Après quelques enjambées, elle jette un regard mutin par-dessus son épaule. Elle est déconcertée de ne pas voir Jake la poursuivre. Au contraire, il reste planté loin derrière, les sourcils froncés et le regard perdu. Elle ralentit le pas pour tenter de voir ce qui a retenu l'attention de Jake. Poussant un juron, le Navy SEAL part à la course vers le guichet. Médusée, Laura passe de poursuivie à poursuivante. Son plus faible taux de changement de position lui fait perdre de l'avance en comparaison de Jake. Toutefois, elle comprend bientôt que l'intérêt de son amant est porté sur un homme de grande taille qui vient de quitter le comptoir. Ce dernier leur tourne le dos et s'éloigne en direction des gradins, de l'autre côté des guichets.

Jake freine son allure pour ne pas trop attirer l'attention, mais raccourcit tout de même rapidement l'écart qui le sépare de sa cible. Même avec plusieurs mètres de recul, Laura parvient à entendre son exclamation autoritaire :

— Murray, stop !

L'homme regarde derrière lui et une surprise bousculée par une expression d'horreur apparaît sur son visage. Il retrouve rapidement l'usage de ses jambes et se met à sprinter. Il entend bientôt dans son dos :

— Arrête. C'est un ordre.

La raison revient s'infiltrer dans son cerveau et lui souffle que sa fuite est futile. Il se met au garde-à-vous en attendant que son supérieur le rejoigne, ce que Jake ne tarde pas à faire. Le subalterne n'ose pas le regarder dans les yeux et fixe l'infini.

— Que fais-tu ici ? Ne devrais-tu pas être à l'hôtel en train de dormir ? lui demande Jake avec une pointe d'impatience à peine retenue.

Le soldat hésite avant de répondre :

— Je n'arrivais pas à dormir et je ne relève Martinez qu'à huit heures ce soir. J'avais quelques heures à moi.

— Donne-moi ce billet que tu viens d'acheter.

L'homme obtempère avec réticence.

À bout de souffle, Laura rejoint les deux hommes en se tenant les côtes. Elle s'appuie sur l'épaule de Jake et jette un coup d'œil sur le papier qu'il tient à la main. Elle a tout juste le temps de reconnaître le mot Flimsy en bas de la liste, avant que Jake ne commence à déchirer le billet en tous petits morceaux.

— Eh! s'exclame le propriétaire du document. Il ravale son désaccord dès que Jake retourne son attention vers lui.

— Ceci n'est pas une excursion décidée à la dernière minute. Tu as consulté les données historiques avant de venir ici.

Le soldat jette des œillades rapides et inquiètes vers Laura. Irrité par l'implication de négligence que ces avertissements oculaires semblent suggérer, Jake explique d'un ton bourru :

— Elle est au courant. Il est vrai que ce n'est ni le temps ni le lieu pour discuter de cette infraction aux règles. Retourne à ton hôtel et restes-y jusqu'à nouvel ordre.

Le soldat salue de façon discrète, puis se dirige vers la sortie et la rue. Une fois hors de vue, Jake laisse échapper un soupir las. Sa compagne est anormalement silencieuse. Le Navy SEAL lui offre un sourire triste.

— Je suis désolé, mais cet incident met fin à notre excursion, avoue-t-il après s'être assuré que personne ne peut les entendre. Tu devras te contenter de vérifier le nom des gagnants sur le site Internet plus tard ce soir. Je dois faire un rapport de ce délit. J'enverrai un message à partir de ton appartement. C'est là que j'ai laissé mon transmetteur. Il me faudra assigner un de mes hommes à la surveillance de Murray, en attendant qu'il puisse être transféré hors de la simulation. Autrement dit, je suis à court de deux hommes pour la mission de surveillance des terroristes. Il va falloir au moins une journée pour équiper et transférer un nouvel homme pour la mission.

— Pourquoi veux-tu surveiller ces terroristes d'aussi près, au lieu de les arrêter ?

— Parce qu'il y a un mystère à résoudre, qui a des conséquences pour le futur. Dix-neuf terroristes ont péri pendant les attaques. Le quatrième avion, celui qui s'est écrasé dans un champ sans atteindre sa cible, n'en avait que quatre à son bord. Nous croyons qu'un cinquième était manquant. Nous ne connaissons pas son identité, ni la raison pour laquelle il a évité de participer au détournement. Est-il encore un membre actif d'Al-Quaïda ?

— Il me semble que toi et moi pourrions peut-être remplacer tes deux hommes.

— Toi et moi ! Tu n'y penses pas. Je n'ai pas l'intention de te mettre sur le chemin de tels criminels.

— Mais il faut faire quelque chose ! Ou bien je t'aide dans ton enquête pour trouver tous les coupables ou bien j'avertis la police de l'attaque imminente. C'est ton choix.

CHAPITRE 20

Californie, le 2 août 2023

— Si je n'étais pas si malade, j'aurais eu droit à une sévère mesure de discipline de la part des hauts gradés du Pentagone, souffle Mike à Shannon, dans l'intimité de leur chambre à coucher en banlieue de San Francisco.

— Est-ce qu'ils t'en veulent encore d'avoir laissé un secret d'État tomber entre les mains d'enfants de neuf et onze ans ?

— Je crois qu'ils sont maintenant convaincus de pouvoir faire confiance à Olivier, Gabi et Natalie. Pendant près de trois semaines, les trois gamins ont été soumis à une surveillance intensive de la part de la CIA. Toutes leurs conversations dans les réseaux sociaux pour enfants ou ailleurs sur Internet ont été lues à leur insu par des professionnels, afin de s'assurer qu'ils tiennent bel et bien la promesse qu'ils ont faite à leur père de ne rien révéler à qui que ce soit.

Un sourire joue sur les traits altérés de Mike, pendant qu'il évoque cette réminiscence.

— C'était un coup de génie de la part de François que de leur demander leur parole d'honneur. Son petit discours sur les responsabilités et les règles de la noblesse a porté des fruits. Je crois qu'ils sont maintenant beaucoup plus tolérants des excentricités anachroniques de leur père.

Le mari de Shannon reprend bientôt son air vaguement coupable.

— Ce n'est pas à cela que je faisais allusion quand je disais que le comité n'est pas très content de moi.

— Ô, ciel! Qu'as-tu encore fait pour les irriter?

— Ce n'est pas moi qui leur donne du fil à retordre! proteste-il. C'est mon *alter ego*. Il ne veut pas venir nous rejoindre sans Laura.

— C'était plutôt à prévoir. Je suis même étonnée que, le connaissant bien, tu n'aies pas prévenu le comité qu'il allait probablement imposer une telle condition.

— Justement, je ne tenais pas à ce que le comité soupçonne la possibilité de devoir héberger deux rescapés de 2001 plutôt qu'un. Ce détail aurait pu miner mes chances de lui faire accepter ma proposition de rapatriement.

Shannon fait une retraite stratégique vers l'autre côté du lit pour, une fois de plus, exprimer son ressentiment à l'idée de transférer un jeune Mike dans le futur.

— Bref, tu savais parfaitement que ton *alter ego* allait insister pour emmener Laura avec lui.

— Oui, bien sûr. D'autant plus que c'est moi qui le lui ai proposé.

Cet aveu estomaque Laura qui dévisage Mike, bouche bée.

— Y a-t-il encore autre chose que tu ne m'as pas dit? lui demande-t-elle, lorsqu'elle retrouve l'usage de son larynx. Une proposition qui me concernerait peut-être?

— Non. Non. Je te jure que non. Je te l'ai déjà dit. La lettre que je lui ai écrite ne mentionnait aucunement nos filles et toi. Jake a la permission de répondre à toutes les questions, mais je lui ai suggéré de ne pas se porter volontaire pour lui fournir l'information sur mon statut matrimonial s'il ne la demandait pas.

— Bref, non seulement tu me mens, mais tu te mens à toi-même.

— Je ne voulais pas que ma vie personnelle devienne un facteur dans sa décision de venir.

— Ah! Parce que tu crois qu'il aurait peur de se retrouver marié à moi contre son gré!

Mike pousse un long soupir pour se donner le courage et la force de continuer cette ritournelle. La même conversation a si bien meublé leurs moments pendant les dernières semaines.

— La possibilité qu'il me remplace, tant dans ma vie personnelle que dans ma vie profession-nelle, ne fait pas partie des plans officiels du comité. Personne ne te forcera à vivre une mascarade où tu resterais mariée à une copie de moi. Au point de vue logistique, cette solution a pour seul avantage d'éviter la création d'une nouvelle identité et le recours au programme de protection des témoins. J'espère encore déjouer la mort pendant quelque temps et conserver mon identité. Après tout, Tume-lox semble avoir ralenti le progrès de la maladie.

Le cœur d'épouse de Shannon s'accroche à cette idée, mais son esprit scientifique la force à constater que si la deuxième dérivée de son état de santé est positive, la première dérivée est encore négative.

— Dans un de ses rapports, enchaîne Mike, Jake mentionne que Laura tient à l'aider dans la surveillance des terroristes. Là n'était pas mon intention. Peut-être aurais-je mieux fait de me contenter de lui éviter de mourir une deuxième fois. J'ai bien peur, en voulant revoir Laura, d'avoir mis tout le projet en péril.

CHAPITRE 21

New York, le 8 septembre 2001

Le BlackBerry de Jake est nonchalamment pointé vers la table occupée par deux hommes dans un Starbucks, à Newark. Le microphone extra-directionnel du téléphone a été soigneusement aligné pour capter une conversation à plusieurs mètres, de l'autre côté de la salle. De plus, une caméra enregistre les indices visuels, comme le mouvement des lèvres et les traits des visages des deux clients du café. Toute cette information est transmise à la camionnette stationnée quelques pâtés de maisons plus loin.

Jake leur tourne le dos. Assise devant lui, Laura voudrait détailler tous leurs mouvements, mais son compagnon le lui a interdit. Grâce à l'appareil auditif minuscule dans son oreille gauche, elle peut toutefois suivre la conversation de Jake avec l'occupant du véhicule.

— As-tu identifié le blond avec qui il parle ? demande le Navy SEAL.

— Non. Pas encore, répond son collègue. La banque de données dont je dispose ici est trop limitée. Il va nous falloir envoyer ces images au centre de contrôle lors du prochain transfert.

— De quoi causent-ils ?

— De plans de vacances. Ziad vient de lui annoncer qu'il part vers la côte ouest. Il plaisante à propos de plages avec des filles.

— Ouais, vierges, je suppose !

Cette remarque lui attire un coup d'œil réprobateur de Laura.

— Le blond mentionne aussi avoir le goût de partir, ajoute la voix dans les écouteurs. Veux-tu bien arrêter de secouer la table ?

— Je ne touche pas la table, proteste Jake. Il y a un gros camion qui vient de passer dans la rue. Parlent-ils en arabe ?

— Non. En anglais. Le blond a un faible accent que je n'arrive pas à placer. Il vient de dire qu'il n'a pas acheté de billets, mais qu'il compte bientôt le faire. Ziad le prévient de ne pas trop attendre, qu'il sera déçu si tous les vols étaient complets. Oups ! Il y a une sonnerie.

— Ziad répond à son téléphone, explique Laura.

— Je t'ai dit de ne pas regarder de leur côté, gronde Jake sourdement.

Laura baisse les yeux piteusement et se concentre sur l'ingestion méticuleuse d'un gâteau aux bananes. Jake commence à regretter sérieusement d'avoir accepté que Laura l'accompagne dans ses exercices de surveillance. D'abord, il s'était dit que ce serait une bonne façon de garder l'œil sur elle, de s'assurer qu'elle ne se mettrait pas en tête d'aller à la police. Et puis, un couple dans un café est une meilleure couverture qu'un homme seul, à l'apparence militaire. Moins de chance d'attirer l'attention de leur proie. En principe, il ne devrait y avoir aucun danger à flâner en amoureux paisibles qui prennent un café par une belle journée de septembre.

— L'équipe B vient de rapporter que Saeed se dirige vers le Starbucks, murmure la voix dans leurs oreilles. Il vient de téléphoner. Il y a tout lieu de croire qu'il avertissait Ziad de son arrivée prochaine, car celui-ci vient d'en relayer l'information à son compagnon de table. Peut-être aurons-nous droit à un conciliabule à trois ? Et puis non ! Le blond en profite pour s'excuser et se dit heureux tout de même de cette rencontre fortuite.

— Alors, que fait-on maintenant ? demande Laura, dont la mine soumise et résignée s'est complètement évaporée. On le suit ?

— Non, décide résolument Jake, je dois capter la conversation qui aura peut-être lieu ici entre Ziad et Saeed.

— Mais ce blond ? Il fait peut-être partie du complot ! insiste Laura.

— Je ne crois pas. La rencontre avec Ziad donnait l'impression d'être totalement imprévue. Et ce blond n'a pas l'air très musulman.

— Le fanatisme n'est pas en corrélation avec la couleur de la peau et des cheveux ! Ne fais pas l'erreur de catégoriser quelqu'un à partir de son aspect physique. Après tout, toi aussi, tu n'es pas ce que tu sembles à première vue !

— Ha ! Ha ! émet Jake, sans humour.

Laura avale le restant de son gâteau qu'elle noie dans les trois dernières gorgées de son café. Elle attrape sa bourse à côté de sa chaise, puis se lève rapidement. Avant que Jake ait pu faire la moindre remarque, elle lui cloue les lèvres d'un court baiser. Elle glisse un murmure dans son oreille :

— Je vais le suivre. À bientôt !

Elle laisse derrière elle une porte qui se referme et un Jake furieux de ne pas pouvoir bouger d'un fil le téléphone positionné sur la table.

* *
*

Laura prend rapidement la direction empruntée par l'ami dudit terroriste. Elle s'amuse de la façon dont elle s'est débarrassée de Jake. Il faut dire qu'il joue bien son jeu. Pour demeurer dans son personnage, il doit prétendre rester au café. Peut-être devrait-elle y retourner pour l'espionner ? Et mettre fin à cette farce une fois pour toutes. Cette formidable blague a dû demander la collusion des propriétaires de chevaux et de leurs jockeys ! Tout ce dont il a besoin maintenant, c'est de quelques amis pour jouer les terroristes et les soldats de surveillance, d'une camionnette bourrée d'équipement et de ces téléphones qu'il prétend futuristes et qui permettent de prendre des photos et des vidéos. Elle n'en n'avait jamais vu auparavant, mais elle croit se souvenir d'en avoir entendu parler pendant une pause-café au bureau. De telles merveilles seraient disponibles au Japon depuis un an et ne devraient pas tarder à faire leur apparition sur le marché américain.

À quoi lui sert toute cette mise en scène ? La croit-il plus naïve que son frère ? Plus facile à berner ? Elle veut découvrir son but et enlever la carte qui ferait s'écrouler son château d'illusions. Elle se prête donc à son jeu, pour le moment. Elle n'a pas l'intention de subir la risée de la police en allant leur raconter une histoire aussi loufoque. Elle tente de rejoindre le blond du café. Elle compte l'affronter, lui demander la raison de sa participation dans cette tromperie. Elle n'est pas certaine qu'il en fasse partie, car sa rencontre avec le « terroriste » paraissait imprévue. Elle s'interroge sur la meilleure façon de l'aborder. Elle panique d'abord de ne pas l'apercevoir immédiatement. Un soupir de soulagement lui échappe à la vue d'une tête blonde, qui oscille comme une bouée dans l'horizon d'une mer chevelue.

Elle ne le voit pas se retourner pour regarder derrière lui, ce qui lui fait douter d'être encore en train de suivre la bonne personne. Elle le voit se dépêcher à traverser la rue à un feu qui tourne rapidement au jaune. Elle ne peut l'imiter, mais ne craint plus d'avoir perdu sa trace. Il s'avance dans le passage pour piétons dès l'apparition du feu vert. Brûlant un feu rouge, une grosse voiture le frappe de plein fouet.

* *
*

— Où es-tu ? demande urgemment Jake, dès qu'elle répond à son téléphone. Je suis mort d'inquiétude.

— À l'hôpital.

Une soudaine migration de son sang le laisse de neige.

— Quoi ! Tu es blessée ? Que s'est-il passé ? Je n'aurais jamais dû te laisser partir.

— Arrête de paniquer ! Ce n'est pas moi qui ai besoin de soins. C'est le blondin. Il vient de se faire heurter par une voiture. Un cas d'ivresse au volant.

— Vraiment! Quelle étrange coïncidence! Le chauffeur était saoul? Il n'est que onze heures du matin!

— Oui. Il a été appréhendé. Il tenait à peine debout. J'ai tout vu. C'était horrible. J'ai figé sur place. Heureusement qu'un des piétons avait des connaissances en premiers soins. Il a tout de suite pris la situation en charge. Je suis restée à l'écart.

— Bien. Tu as bien fait.

Laura ne détecte aucune inquiétude de la part de Jake vis-à-vis l'état de santé de l'accidenté. Elle ne peut qu'en conclure que le blondin n'était pas un de ses complices. Elle s'en trouve soulagée. Elle cherche une faille qu'elle espère, au fond, ne pas trouver.

— Je ne pouvais pas t'appeler à ce moment-là, continue-t-elle. Il y avait trop de monde autour de moi. Et puis j'avais peur d'interrompre ta session de surveillance. T'obliger à bouger ton téléphone.

Jake jure intérieurement. Maudite pénurie de personnel! Quel manque de planification de sa part! Dès qu'elle a quitté le café, il a murmuré à son assistant dans la camionnette de tenter de la contacter. Il ne pouvait pas se permettre d'avoir l'air de se parler à lui-même.

— Pourquoi n'as-tu pas répondu aux appels de Palmer?

— Ah! C'était lui? Je n'ai pas reconnu le numéro. Je n'avais pas le temps de répondre à un faux numéro. Une fois revenue de mon choc, j'ai essayé d'écouter les ambulanciers dans le but d'apprendre l'identité du blondin. Ils n'ont rien révélé. J'ai pris un taxi pour les suivre à l'hôpital. Je suis maintenant dans la salle d'attente.

— Et qu'espères-tu y faire?

— Je compte discrètement photographier quiconque arrive au kiosque d'information des urgences et me donne l'impression d'y avoir été convoqué.

— C'est dangereux ça ! Et si c'était Ziad qui était contacté par l'hôpital ! Il pourrait trouver curieux de te voir dans la salle d'attente après t'avoir aussi entrevue au café.

— N'êtes-vous pas en train de le suivre ? riposte-t-elle. Vous pourrez donc m'avertir s'il vient vers l'hôpital.

Jake lève les yeux au ciel et se traite de crétin. Il n'a pu trouver rien de mieux que ce danger troué d'erreurs de logique pour tenter de la dissuader de poursuivre sa surveillance.

— La rencontre entre Ziad et Saaed n'a rien révélé, enchaîne-t-il. Ils se sont de nouveau séparés. Mes hommes ont encore eu besoin de scinder leurs effectifs. Je ne peux donc pas t'envoyer qui que ce soit pour te relever. Je viens te rejoindre. À quel hôpital es-tu ?

Après lui avoir fourni l'information, Laura lui chuchote :

— Écoute. Je pense que mon blondinet pourrait bien être ton vingtième terroriste. Il aurait une bien belle excuse pour ne pas participer à l'attaque. Et il ne doit pas y avoir tant d'hommes prêts à le remplacer, comme cela, à la dernière minute ! Et puis, ces billets d'avion qu'il n'a pas encore achetés... C'est peut-être pour cela qu'il est passé sous le radar. Son nom n'a jamais fait partie de la liste des passagers.

— Cet accident, avait-il l'air délibéré de sa part ? avance Jake. Une façon de sauver la face et d'éviter de se suicider ?

Laura ferme les yeux pour mieux se remémorer la scène. Tout s'est passé si vite et l'a laissée profondément bouleversée. Elle ne pouvait pas y voir une fabrication. C'était un accident pur et simple, ce qui l'a convaincue que l'homme ne faisait pas partie de l'absurde machination destinée à lui faire faire un voyage dans le temps. Elle ne veut toutefois pas partager cette conclusion avec Jake. Elle continue à s'en tenir à son jeu d'espionne amateur, dans l'espoir que Jake fasse une erreur.

— Si tu me demandes s'il s'est lancé sous les roues de cette voiture, je te dirai que non. N'empêche, il avait peut-être l'esprit ailleurs.

Jake contemple la justesse de cet argument, ce qui l'entraîne vers un dilemme. Devrait-il urgemment apporter les images de l'homme blond au hangar pour hâter son identification ou rejoindre Laura pour la soustraire à cet exercice dangereux ?

— Oh ! Il y a une jeune femme avec un hidjab qui se dirige vers le kiosque d'information, lui souffle Laura. Je vais voir si je peux découvrir la raison de sa présence.

— Non ! ne fais rien qui... entame Jake en entendant le déclic de la fin de la communication.

Il n'a plus de doute sur le choix de sa prochaine destination.

* *

*

Laura s'approche lentement du kiosque. Elle ne veut surtout pas arriver avant la musulmane. En bonne deuxième, elle prend position à côté de la jeune femme en faisant mine de composer un courriel sur le BlackBerry 957 que Jake lui a prêté.

Depuis qu'il le lui a mis dans les mains, elle brûle d'envie de se servir de l'option caméra et vidéo. Cette jeune femme lui fournit une bonne excuse. Elle peut donc prendre des photographies et faire des vidéos à haute résolution du sujet féminin devant elle. L'autre ne sait pas qu'un téléphone peut posséder une telle habileté.

— Reçu appel téléphonique, accident, voiture, Otto Weber, baragouine la musulmane dans un anglais morcelé.

— Ah! comprend la réceptionniste, vous devez être celle qu'on a réussi à contacter au moyen du dernier appel composé sur le cellulaire de monsieur Weber. Il y avait dans son portefeuille tellement peu de pièces d'identité. Tout au plus quelques dollars, une carte de crédit et une carte-clé pour une chambre d'hôtel anonyme. Êtes-vous apparentée de quelque façon avec lui?

Comme la question ne semble pas recevoir de traduction dans la tête de son interlocutrice, la préposée à la réception ajoute :

— Êtes-vous une amie de monsieur Weber?

— Amie, oui. Amie.

— Petite amie, peut-être? tente-t-elle de l'amener à préciser.

— Oui. Oui. Voudrais le voir.

Pas vraiment convaincue que la jeune femme a compris l'essence de la question, la dame derrière le comptoir passe aux règles d'admission.

— Il est dans la salle d'opération présentement. Seuls des membres de sa famille proche pourront discuter de son état de santé avec le médecin. Êtes-vous en mesure de nous fournir les moyens de les joindre?

Les yeux bruns de son interlocutrice continuent à la regarder sans ciller. La dame sort un formulaire sur lequel seuls les noms Otto et Weber sont inscrits près de l'en-tête.

— Pouvez-vous remplir ceci ? invite-t-elle, en lui tendant un stylo et en espérant que la musulmane comprend mieux l'anglais écrit que parlé.

La réceptionniste se tourne ensuite vers Laura :

— Puis-je vous aider ?

Quelque peu surprise, celle-ci sursaute et, ne cessant de pointer son téléphone en avant d'elle, lui sourit de façon conciliante :

— Oh, je ne suis pas pressée, vous pouvez finir de vous occuper de mademoiselle.

Le regard qu'elle reçoit dévoile un certain degré de frustration. L'infirmière reporte quand même son attention sur la dame coiffée d'un foulard. Notant que rien n'a été ajouté au formulaire, elle reprend son interrogatoire :

— Connaissez-vous le nom de l'hôtel où il reste ?

Cette fois, un hochement de tête négatif lui fait écho.

— De quelle ville vient-il ? De quel État ?

— « Hambourg » sert de réponse pratiquement méconnaissable.

D'un mouvement giratoire de la main, l'infirmière pivote le formulaire vers elle-même pour inscrire la réponse.

— New York ou Pennsylvanie ? ajoute-elle, le stylo à l'attention.

— Allemagne peut-être ? ne peut s'empêcher d'insérer Laura.

— Allemagne, répète la musulmane, avec un fort hochement de la tête.

Un regard plein de « de quoi vous mêlez-vous » incite Laura au silence. En désespoir de cause, la préposée réussit, plus par gestes qu'en paroles, à demander à sa visiteuse d'inscrire son nom et son numéro de téléphone en bas du formulaire. Une de ses collègues vient lui annoncer que M. Weber est maintenant dans la salle de réveil. Elle invite la jeune femme à prendre place dans la salle d'attente, la prévenant toutefois que le docteur se réserve le droit de lui interdire une visite, selon l'état de santé et la volonté du blessé.

L'attention de la préposée peut maintenant graviter vers Laura :

— Désolée de vous avoir fait attendre. Puis-je vous aider ?

— Euh ! bafouille Laura, prise au dépourvu. Où puis-je trouver un bon café ? Pas un de ceux vendus à partir d'une machine distributrice ?

Une élévation partielle d'un sourcil de son interlocutrice reflète sa surprise. Elle ne se fait toutefois pas prier pour répondre :

— La cafétéria se trouve au sud de l'atrium. Pour vous y rendre, franchissez ces portes que vous voyez à votre droite. Éventuellement vous arriverez à l'entrée principale de l'hôpital.

Laura la remercie chaleureusement. Son visage se départ de son sourire dès qu'elle s'éloigne. Puisqu'elle sent le feu du regard de la réception-niste lui réchauffer le dos, force lui est maintenant de constater qu'elle devra aller le chercher, ce café ! Pourquoi a-t-il fallu qu'elle choisisse un prétexte aussi minable ?

*   *

*

Il ne suffit que d'un instant à Jake pour noter que Laura est absente de la salle d'attente des urgences. Il s'apprête à faire de nouveau appel à son portable, lorsqu'il la voit entrer par une porte de l'autre côté de la salle. Pour donner le change à quiconque les observerait, Jake se dirige tout de suite vers elle et demande :

— Comment va-t-il ?

Quelque peu surprise par l'apostrophe, elle n'en comprend pas moins le but.

— Rien de différent, répond-elle plus fort qu'elle ne le devrait.

Avec des petits coups de tête et des va-et-vient des prunelles, elle tente d'attirer son attention vers la musulmane. Comme Jake n'a pas l'air de comprendre, elle accentue les mouvements. Ce dernier commence à avoir peur que le manège suscite l'intérêt de plusieurs personnes avides de distraction dans leur attente. Cela prend la dimension de tics nerveux. Il empoigne la jeune femme et l'entraîne vers les deux sièges les plus éloignés de la dame au hidjab.

— As-tu vu la femme là-bas, assise toute seule ? lui souffle Laura.

— Oui. Je l'ai vue. Et cesse de regarder de ce côté. Tu vas finir par te faire remarquer.

Laura se renfrogne et prend contact avec le dossier de sa chaise avec l'attitude d'une adolescente boudeuse.

— Dis-moi plutôt ce qui s'est passé. As-tu appris quoi que ce soit ? interroge doucement Jake.

Elle tergiverse quelque peu avant de dire :

— Il s'appelle Otto Weber. La femme est sa petite amie. Elle parle très peu l'anglais.

— Sa petite amie ! Cela m'étonnerait ! Elle a l'air plutôt traditionnaliste. Sa parenté ne la laisserait pas fréquenter un étranger.

— Une simple amie, alors.

— Es-tu certaine qu'elle soit une amie de notre homme ?

— Elle est arrivée à la réception en disant que quelqu'un de l'hôpital l'avait appelée pour lui dire qu'Otto Weber avait eu un accident de voiture.

— Cela ne prouve pas qu'il s'agisse de notre homme. Il peut y avoir eu plus d'un accident de voiture. Nous sommes aux urgences, après tout.

— Peut-être, mais tout coïncide. Ce Weber est un étranger qui vit à Hambourg. Ne m'as-tu pas dit que les terroristes y avaient une connexion avec une cellule islamique ?

Cette nouvelle donnée plonge Jake dans une série de réflexions.

— Ils se sont peut-être rencontrés là, soliloque-t-il. Cela expliquerait pourquoi ils se connaissent.

— Bon, maintenant tu admets qu'Otto Weber est notre blondin.

— Cela ne le rend pas pour autant un terroriste, insiste-t-il. Ne sautons pas aux conclusions aussi facilement.

— Mais il a, de toute évidence, des affiliations dans le monde musulman. Est-ce que cela ne vaudrait pas la peine d'enquêter à son sujet, ainsi que sur sa petite amie ?

— Nous en savons si peu sur elle.

— Mon téléphone contient probablement une photo de sa signature et de son numéro de téléphone en bas d'un formulaire.

— Tu as décidément des talents d'espionne, la complimente Jake.

Il a finalement droit à un sourire. Reprenant son sérieux, il arrête un nouveau plan d'action :

— Nous devons apporter ces images au hangar, l'entrepôt qui nous sert de point de transfert entre 2001 et 2023. Je ne peux pas permettre qu'elles soient transmises électroniquement à partir d'ici. Déjà, nous sommes en train d'utiliser le réseau de façon clandestine. Je ne veux pas en abuser et attirer l'attention des autorités. Je vais réaffecter un de mes hommes pour nous remplacer ici.

* *

*

L'aménagement de l'entrepôt l'a complètement transformé. Une cloison le sépare en deux. Elle délimite une section où tout véhicule autorisé à franchir le seuil de la porte de garage peut être dérobé à l'œil d'un passant dans la rue par la fermeture de ladite porte. Un curieux ne glanerait aucune information sur la nature de l'entreprise qui occupe ces lieux à partir d'une brève inspection visuelle. Un autre sas de confidentialité a été construit autour de la simple porte d'entrée à l'arrière de l'entrepôt. Une banale clé semble permettre l'accès à cet antre. Toutefois, le propriétaire de la clé doit posséder des empreintes digitales lui donnant la permission d'entrer. Un système encore plus rigoureux interdit le franchissement de la cloison.

Laura remarque dans cette antichambre, au cœur de l'entrepôt, une camionnette similaire à celle de Palmer. La boîte est complètement dépourvue de fenêtres. Elle présume, après une courte visite de la tanière de l'assistant de Jake, qu'un accès secret entre la cabine et la boîte permet au chauffeur (ou à toute personne avec lui) de se soustraire à l'examen du public sans devoir sortir du camion.

Jake lui explique qu'ils font extrêmement attention pour que chaque personne vue en train de gagner l'entrepôt en ressorte de façon visible. L'inverse est aussi vrai. Il ajoute que le jour où elle et Mike décideront de l'accompagner vers le futur, ils devront tous entrer dans l'entrepôt cachés dans la caisse d'une camionnette.

— Ce qui veut dire, conclut Laura, qu'aujourd'hui tu ne me kidnapperas pas vers le futur.

Lorsqu'elle entre finalement dans le cœur du hangar, elle n'y voit rien de terriblement futuriste. Des caissons de bois empilés le long des murs sont maquillés de bordereaux d'expédition réglementaires. Des bureaux de métal et des classeurs donnent l'impression d'une compagnie d'importation. Les ordinateurs datent de plusieurs années. Deux fauteuils qui ont dû déjà échanger bien des mains et soutenir bien des fessiers longent aussi un des murs. Elle discerne la possibilité que ce soient des divans-lits. Ils sont occupés par deux hommes qui se lèvent à leur approche. Elle reconnaît l'un d'entre eux comme étant le soldat rencontré à l'hippodrome. Jake confirme ce fait.

— Murray ? Tu es encore ici ?

— Oui. Je devais partir il y a une demi-heure, mais apparemment vous avez d'importantes données à transmettre, donc le transfert a été retardé.

— Oui, il est vrai qu'il est urgent de s'occuper de ces données.

Un troisième homme abandonne l'ordinateur qui accaparait son attention jusqu'à présent pour venir les rejoindre.

— Vous avez quelque chose pour moi ? dit-il sans préambule.

— Oui, mais laisse-moi d'abord te présenter Laura Simpson. Laura, je te présente George Chen ainsi que Peter Attaway. Tu as déjà rencontré Patrick Murray.

Laura serre successivement les mains des trois hommes. Elle présume que le deuxième d'entre eux est le gardien de Murray.

— Puis-je me permettre de dire que vous ressemblez beaucoup à votre frère ? profère George.

— Vous le connaissez ? s'étonne Laura.

— Bien sûr. Nous le connaissons tous. Il est le directeur du projet. J'ai beaucoup de respect pour lui.

Cette réponse la rend mal à l'aise.

— Comment va-t-il ? demande Jake. As-tu de ses nouvelles ?

— Rien de neuf. Je crois qu'il a pratiquement élu résidence dans l'infirmerie du centre de recherche.

Jake aimerait une fois de plus presser Laura à prendre une décision, car il craint de ne pas revoir son ami vivant. Il lui a pourtant bel et bien décrit l'état de santé critique de son frère en 2023. Il s'inquiète du fait qu'elle reste de marbre à son sujet, comme s'il n'existait pas vraiment. Elle semble pourtant avoir accepté les autres conséquences de venir du futur. Il relègue cette pensée à son subconscient et sort son téléphone de sa poche pour le tendre à George.

— Tiens, il y a là-dessus une rencontre avec Ziad et un suspect qui a besoin d'être identifié. Laura, donne-lui aussi ton téléphone.

Il ajoute à l'intention de George :

— Laisse-moi deux minutes pour ajouter un rapport.

Jake s'éloigne vers un des bureaux et commence à parler après s'être affublé d'un casque de moto qui étouffe tout ce qu'il dit. Laura balaie l'entrepôt d'un regard panoramique. Elle s'étonne maintenant que le centre de la pièce soit si vide. Tout l'équipement est en périphérie. À quelques pas d'elle, le ciment du plancher exhibe un cercle parfaitement plat et propre, qui contraste avec le reste de la surface poussiéreuse. Elle compte pointer cette anomalie à Jake dès qu'il aura fini son drôle de rapport. Laura jette un coup d'œil à Chen qui a tout simplement appuyé les téléphones à son écran. Sans même qu'il effleure le clavier, il reçoit un signal de l'ordinateur. Le téléchargement est complété. Elle s'amuse de cette faible tentative pour lui faire croire que l'ordinateur est plus avancé qu'un simple iMac. Chen déconnecte ensuite ce qu'elle a tout lieu de croire être une innocente clé USB.

Jake revient avec dans sa main une clé similaire. Les deux hommes entreposent les petits bâtons numériques dans un contenant de métal sans serrure apparente, qui se referme automatiquement avec un claquement martial. Il a la taille d'une boîte de chaussures. Chen dépose ensuite le récipient au centre du cercle tracé sur le plancher.

— Que fait-il ? chuchote Laura à Jake.

— Il se prépare à transférer nos observations vers le futur.

Elle fronce les sourcils dans sa direction.

— Transfert dans deux minutes, annonce George. Prends ta position.

À contrecœur, Patrick encadre la boîte de métal de ses pieds.

— Lieutenant, avant de partir, j'aimerais vous dire que je regrette vraiment ce que j'ai fait, avoue l'enseigne Murray. Je veux que vous sachiez que ce n'était pas l'argent du projet avec lequel j'avais parié. C'étaient mes propres billets.

— Oui, mais croyez-vous vraiment que vous méritiez l'argent que vous auriez gagné ? Que vous y aviez droit ?

Le soldat ne répond pas. Dès que les grésillements naissent en conjonction avec les étincelles, Jake prend la main de Laura. Il est motivé par l'affection, mais surtout par des raisons de sécurité. Il ne faudrait surtout pas qu'elle s'élance vers l'espace interne juste au moment du transfert. Si, par malchance, elle franchissait la frontière à l'instant de la téléportation, elle serait scindée en deux. Au centre de contrôle, la salle de transfert est parfaitement isolée. Ici, leur installation est encore trop précaire pour inclure toutes les marges de sécurité. Ils se fient tous à une démarcation de poussière sur le plancher et au fait que la première téléportation a rasé les moindres aspérités du ciment sur un rayon d'un mètre et demi.

— Que se passe-t-il ? questionne Laura, éberluée.

— Tu assistes à un transfert. L'enseigne Murray est maintenant en train de se faire téléporter vers le futur. C'est ce que ton frère inventera dans cinq ans.

Plus que vaguement effrayée, elle tente de nier ce qu'elle voit et dévie la conversation vers Murray.

– Que va-t-il lui arriver ? La prison ? Une amende ?

– Il va être incorporé à une autre équipe de Navy SEALS, qui n'est pas affiliée au projet Philo. Il n'y a que deux équipes affectées à ce projet. Les autres ne savent pas ce qui rend ces équipes si spéciales, mais notent que les meilleurs d'entre eux sont choisis pour en faire partie. C'est donc, pour Murray, une rétrogradation officieuse.

– Comme c'est brillant ! commente Laura, le sort de Murray complètement oublié devant le spectacle de sons et de lumière, dont elle laisse filtrer les rayons entre ses doigts.

George leur tend à tous les deux des lunettes de soleil. Peter et lui en sont déjà équipés. Le nombre de lumens commence à diminuer.

– Ça n'a pas fonctionné ! jubile-t-elle, car une silhouette se discerne encore parmi les flammèches blanches mourantes.

Laura est soulagée de ne pas s'être laissé berner par le spectacle. Elle est maintenant témoin de leur faux pas. Ce contentement se substitue rapidement à un sentiment d'outrage d'avoir failli être leurrée par ce groupe d'hommes déboussolés. Sa rancœur se concentre sur la personne de Jake.

Tout à son bouleversement d'idées, Laura ne porte pas une attention démesurée à l'homme qui lui tourne le dos, au centre du cercle. Elle ne l'a pas quitté des yeux. Ce doit être Patrick, qui a profité du couvert de l'intense luminosité pour faire un demi-tour sur place. Elle sursaute lorsqu'il pivote en réponse à la salutation de George.

– Bienvenue en l'an 2001, enseigne Sheppard.

L'inconnu lui répond d'un sourire tout en considérant le hangar.

— Pas très chaleureux comme endroit, se moque le nouveau venu.

— À quoi t'attendais-tu ? Des tableaux sur les murs ? réplique Chen.

— Je ne me plains pas. Je suis content d'être ici. J'ai eu peur d'être comme Collins dans le module de commande, pendant que Buzz et Armstrong se promenaient sur la lune. Dommage pour Murray, mais le malheur des uns fait le bonheur des autres. Oh ! Je crois que nous ne nous sommes jamais rencontrés ! Bob Sheppard. Laura Simpson, je présume ?

Cette dernière serre distraitement la main tendue. Elle est abasourdie.

— Comment êtes-vous entré ici ? bafouille-t-elle.

L'homme hésite à répondre et consulte du regard les autres occupants de la pièce. Après un soupir discret, Jake entreprend de réexpliquer la procédure de la téléportation.

— Un transfert est un échange des contenus de deux volumes distincts. Comme ces échanges sont coûteux, nous essayons, dans la mesure du possible, de les faire coïncider avec un transport de personnel ou de matériel dans les deux sens. L'enseigne Sheppard est ici pour remplacer Murray.

— Je n'arrive pas à le croire ! C'est une illusion ! s'écrie-t-elle.

Elle s'élance vers le cercle qu'elle examine au toucher le long de sa circonférence. Elle n'y discerne aucune fracture qui laisserait croire que le plancher puisse s'abaisser pour révéler une porte de sortie. Avec frénésie, elle inspecte les caissons de bois en périphérie. Elle cherche n'importe quoi de crédible qui lui éviterait d'admettre l'existence de la téléportation. Une teinte de panique dans la voix, elle demande :

— Où est-il passé ?

— Qui ? Murray ? s'étonne Jake. Je te l'ai déjà dit. Il vient d'être téléporté hors de la simulation.

— Pourquoi veux-tu tant me faire croire à cette rocambolesque histoire de téléportation ? Quel est ton but ?

— Ah ! Non ! Nous n'en sommes pas encore là ! se lamente Jake. Je pensais t'avoir convaincue de ma bonne foi. De la réalité de vivre dans une simulation du passé. Le résultat des courses, n'était-ce pas là preuve suffisante ?

— Non ! Une simple démonstration des moyens à ta disposition pour faire illusion. J'espère que tu ne comptes pas faire s'écraser des avions sur le World Trade Center, juste pour me prouver que tu peux prédire le futur !

Jake est complètement estomaqué. Telles les tours dans trois jours, il se sent frappé jusqu'à ses fondations. Il frise l'effondrement.

— Comment peux-tu me croire capable d'une telle infamie ? s'insurge-t-il. Je croyais t'avoir convaincue de l'urgence de notre mission. Tu y participais même avec enthousiasme.

— J'ai feint la collaboration. Je voulais savoir jusqu'où tu allais pousser cette tromperie.

Cette révélation lui fait l'effet d'une gifle. Il se redresse, des veines battant à ses tempes.

— Ce n'est pas moi le menteur, énonce-t-il en serrant les dents. Faisais-tu donc semblant pendant toutes nos interactions ?

Incapable de continuer cette conversation, Jake quitte le hangar en tentant de claquer la porte qui, pour se moquer de lui, ne participe pas à son expression de colère en ne produisant qu'un faible déclic.

C'est maintenant au tour de Laura d'être sonnée par les paroles de Jake et surtout par le reflet de la trahison qu'elle a lu dans ses yeux. Son aspect physique est si formidable qu'elle en a extrapolé une sentimentalité inaccessible. Elle a réussi, jusqu'à présent, à blinder les assauts contre son cœur en interposant des murs d'indignation à l'idée d'être la victime d'une supercherie monumentale. Mais si c'était vrai? S'il était sincère? Comment savoir? Elle découvre soudainement que son plus grand désir est de croire à ce conte de fée, même s'il comprend une monstrueuse attaque. Comment raccommoder la déchirure qu'elle a insérée dans le tissu de leur relation? Elle tourne les yeux vers les trois hommes qui n'osent plus rien dire et qui l'examinent d'un air inquiet.

— Vous venez vraiment du futur, n'est-ce-pas? demande-t-elle avec à peine un point d'interrogation.

Ils secouent timidement la tête en acquiescement. Bob Sheppard ajoute :

— Je suis né il y a quatre ans.

Laura ferme brièvement les yeux pour absorber cette remarque et analyser le niveau d'incrédulité qu'elle suscite. Elle y découvre seulement une note d'amusement. Elle leur lance un « veuillez m'excuser » avant de quitter la salle.

Après un moment de silence, Chen sort de sa torpeur :

— Enseigne Attaway, briefez l'enseigne Sheppard à propos des nouveaux développements et de ses fonctions, puis conduisez-le à son poste. Moi, je dois envoyer un compte rendu de ce transfert illico presto.

* *
*

Laura se laisse guider par son intuition en tournant vers la gauche à la sortie de l'entrepôt. Elle est récompensée par la découverte de Jake, assis sur un banc public, dans un parc minuscule et miraculeusement désert en ce milieu d'après-midi. Elle prend place à côté de lui sans dire un mot. Elle pourrait croire qu'il n'a pas remarqué sa présence tant il fixe un point droit devant lui, sans expression sur le visage. Elle inventorie son arsenal de préludes à excuses et le découvre plutôt maigre. Elle sursaute presque quand Jake la devance d'une voix morne et sourde :

— J'ai une promesse à garder et ne t'en déplaise, je la garderai.

— Tu ne m'as rien promis, proteste-t-elle faiblement.

— C'est une promesse faite à ton frère, à tes deux frères, en fait. Peu importe que tu me croies ou non. Je te préviens que je ne te permettrai pas d'aller au travail mardi.

— Oh, je n'ai nullement l'intention d'aller travailler mardi. Je compte prendre une semaine de congé pour me remettre de mon agression. Du moins, ce sera là mon excuse. J'ai déjà envoyé un courriel à mon patron.

Jake incorpore Laura dans son champ de vision et l'interroge en fronçant les sourcils, puis finalement vocalement :

— Qu'est-ce qui t'a fait changer d'avis ? Je croyais que tu avais une présentation importante ?

— Je commence à m'habituer à cette idée de voyage dans le temps, après tout. Du moins, je compte maintenant te donner le bénéfice du doute. J'avais besoin de vacances de toute façon. Et je ne veux pas être comme ceux qui s'opposaient à la vision de Copernic parce qu'ils s'accrochaient mordicus à l'idée que la Terre était au centre de l'univers. En autant que les faits te donnent raison, j'accepterai ta version de la réalité.

— Diable ! C'est toute une volte-face ! Comment savoir si tu es sincère cette fois ? Tu m'as vraiment ébloui par tes talents d'actrice dans les derniers jours.

La jeune femme ne peut s'empêcher de rougir de honte, niant ainsi l'accusation d'un parfait contrôle sur ses expressions faciales.

— Je suis désolée, offre-t-elle. Les derniers jours ont été une montagne russe d'émotions. Je tiens à préciser quelque chose de très important. Mon attraction physique à ton égard n'est pas le fruit de ton imagination, ni une performance digne d'un oscar de ma part. Elle est bel et bien réelle et cela me terrorise. En même temps, je veux mieux te connaître sous tous les rapports. Je confesse avoir tenté de supprimer cette curiosité pour me protéger des sentiments tout nouveaux et contradictoires qui m'envahissent.

Un triste sourire fait surface sur le visage de Jake. Presque malgré lui, il admet :

— La nouveauté de pouvoir confier à une femme dans l'intimité d'un lit les détails de mon emploi du temps professionnel m'a peut-être rendu trop désireux de brûler les étapes. La confidentialité du projet est tout aussi importante à mon époque. Je ne peux me permettre d'être moi-même qu'en présence des membres de mon équipe, ce qui complique toute autre relation.

— Je propose de passer les deux prochains jours à mieux nous connaître. J'ai maintenant toutes ces questions qui demandent des réponses.

Puis elle ajoute coquettement :

— Et si tu veux me les divulguer au lit, je n'y vois pas d'inconvénient.

Avant qu'il ne puisse penser à autre chose, elle ajoute plus sérieusement :

— J'ai reçu un message de Mike pendant que nous étions dans l'entrepôt. Il insiste pour que nous nous rencontrions au sommet de l'Empire State Building, à huit heures du matin, mardi. C'est l'ouverture des visites. De toute évidence, il ne veut pas que j'aille travailler ce jour-là. De plus, il se dit trop occupé pour répondre aux moindres appels jusqu'à ce moment-là.

— Typique ! Il fait toujours passer le travail avant tout. Dis-moi, lorsque tu as envoyé un message à ton patron pour prendre congé, tu ne lui as pas suggéré de faire de même, n'est-ce pas ?

— Non, car je sais qu'il est en voyage d'affaires toute la semaine prochaine. Par contre, j'ai plusieurs collègues à qui je voudrais...

Jake lui prend soudainement les mains et la regarde intensément dans les yeux.

— Tu ne peux rien leur dire. Je suis désolé. Même si ce n'est que pour leur suggérer de prendre un jour de congé sans donner d'explications.

— Mais c'est horrible ! s'écrie-t-elle, les larmes aux yeux.

— Je sais. Mais s'ils t'écoutent et restent à la maison, ils en déduiront plus tard, et avec raison, que tu avais eu vent de l'attaque. Ils en avertiront la police. Tu deviendras suspecte et je peux t'assurer que tout individu soupçonné de cette attaque n'aura pas la vie facile.

Laura se rebute à admettre que sa propre sécurité future l'empêche de sauver ses amis et collègues, puis soudain elle discerne une porte de sortie.

— Ne serons-nous pas partis vers le futur à ce moment-là ?

— Je ne sais pas. Cela dépend de Mike. J'ai la permission de t'amener avec moi dans le futur. Je ne sais pas encore s'il te sera permis d'y demeurer. Il te faudra prouver que tu peux être discrète à propos du projet. Si tu ne peux pas le faire à l'intérieur d'une simulation dont la durée dépend des décisions de ses directeurs et de sa stabilité à prédire correctement le futur, ta promesse de collaborer et ta discrétion pourraient être mises en doute. Je sais que c'est une dure réalité à accepter, mais ce monde est condamné à l'avance. Les gens que tu sauverais maintenant cesseront d'exister dans quelques années. Par l'obstination de Mike, tu as une incroyable chance d'échapper à cette destinée. C'est une double mort que tu évites en me suivant dans mon époque : l'effondrement des tours et l'arrêt de la simulation. Égoïstement, je désire que tu en profites au maximum. Une fois là-bas, tu pourras décider si tu veux partager mon espace-temps ou seulement mon temps.

Laura pivote pour se retrouver sur les genoux de Jake et former un collier de ses bras autour de son cou. Elle est le pendentif et ses doigts entrelacés derrière son cou servent de fermoir.

– J'aime bien partager ton espace-temps, roucoule-t-elle. Le moins d'espace possible en fait !

Après un long baiser, elle lui chuchote en lui chatouillant l'oreille :

– Tu peux compter sur moi pour tenter de convaincre Mike de nous suivre.

CHAPITRE 22

Californie, le 6 août 2023

François admire la carte de New York affichée sur un écran dans la salle de contrôle. Une quarantaine de points multicolores clignotent à l'intérieur d'un cercle de quelques kilomètres de rayon, centré sur le World Trade Center. Chaque paire de signaux correspond à un Navy SEAL ou à un chercheur en service dans la simulation. Trois autres cartes décorent les murs, une mettant en vedette les alentours du Pentagone et une autre, un champ près de Shanksville, en Pennsylvanie. La dernière carte n'exhibe que deux balises, jumelées quelque part au nord de San Francisco. Elles correspondent à la position du scientifique assigné à la collaboration avec le Dr Mansfield pour la modernisation de leur infrastructure. On lui a recommandé de rendre une visite-surprise au domicile du directeur du projet Philo, l'arrachant possiblement de son lit. Leur collaborateur a donc averti Mansfield de l'attaque quelques minutes avant son occurrence, mais trop tard pour que celui-ci puisse mettre en place des mesures préventives.

L'attention du comte se porte tout particulièrement sur les points lumineux au coin de la 34e Rue et de la cinquième avenue. Tel que convenu, Jake s'y trouve, en toute probabilité en compagnie du jeune Mike et de sa sœur. Aucun message de la part de l'enseigne Chen ne permet de croire à un changement dans les plans. Pas la moindre déviation dans les faits historiques n'a été enregistrée jusqu'à présent. Trois des avions détournés ont déjà terminé leur vol. Il ne reste qu'une dizaine de minutes avant que le quatrième appareil subisse le même sort.

— Est-ce que cela te donne le goût de refaire un tour dans la simulation pour être au cœur de l'action ? lui demande Rajiv.

— Absolument pas ! lui répond François sans hésiter. Ma dernière visite m'a laissé de sérieux arrière-goûts. Je préfère nettement faire partie du comité d'accueil des nouveaux arrivants.

— Parlant de comité d'accueil, où sont les généraux qui sont supposés en faire partie ?

— Comme le transfert n'est prévu que dans six heures, explique Sophie, ils ne se montreront qu'une heure avant l'événement. Et puis, il y a aussi le fait qu'il est trois heures du matin ici !

— Mike compte faire comme eux, ajoute Shannon en soupirant. Son but est de se reposer le plus possible jusqu'à ce moment-là.

— Alors pourquoi n'êtes-vous pas tous aussi en train de dormir ? Moi, je suis de garde en cas d'urgence technique. J'ai une bonne raison d'être debout, dit Rajiv.

Sophie hausse les épaules et se fait le porte-parole des deux autres :

— Même si je ne peux pas assister en personne aux événements dans la simulation, je sens une tension dans l'air qui me garde complètement aux aguets. De plus, François et moi souffrons du décalage horaire après notre vol intercontinental. Nous avons quitté Paris hier après-midi.

Les regards des quatre occupants de la salle de contrôle se tournent de nouveau vers les écrans. L'immobilité des voyants lumineux ne permet pas de deviner le drame qui se joue dans la simulation. Les rapports concis provenant de chaque agent dessinent le portrait déjà bien connu de cette journée fatidique.

— J'ai cru comprendre qu'un vingtième terroriste a possiblement été identifié, fait Sophie pour relancer la conversation et meubler l'interminable attente.

— Et c'est la sœur de Mike qui aurait proposé la candidature de cet Otto Weber, confirme Rajiv. Il se trouve que cet Allemand était le fils d'un membre du corps diplomatique. Il avait depuis sa plus tendre enfance l'habitude de vivre dans différents pays, incluant l'Afghanistan. Un véritable globe-trotteur. Ses allées et venues sont faciles à suivre, tant qu'il ne faisait que suivre ses parents. Passé la vingtaine, par contre, il y des mois entiers où il semble disparaître de la surface du globe. Le 6 septembre, il a pris un avion vers New York avec un aller simple acheté à la dernière minute. Des recherches ont montré qu'il avait étudié à la même université que Ziad Jarra, un des terroristes aux commandes des avions piratés.

Sophie fait une moue enrobée de scepticisme, qu'elle transforme aussitôt en protestations :

— Je ne vois pas pour autant ce qui en fait un terroriste. On ne va tout de même pas se mettre à soupçonner tous les étudiants de cette université. Il peut très bien ne pas avoir acheté de billet de retour parce qu'il ne savait pas exactement quel jour il voulait rentrer.

— Oui, mais il y a plus, reprend Rajiv. Un examen minutieux de l'enregistrement de sa rencontre avec Ziad le montre en train d'échanger discrètement, pendant leur poignée de main, ce que l'on croit être une clé USB. C'est très rapide et facile à manquer. Ceci rend plus que suspecte toute leur mise en scène.

— Ouais, je suppose, convient Sophie avec réticence. N'empêche qu'il pourrait bien n'être qu'un messager, pas un terroriste suicidaire.

— Cela est vrai, admet Rajiv. Il aurait fallu que le nom d'Otto Weber apparaisse sur la liste des passagers, pour avoir une idée plus claire de son degré de participation.

Le silence s'insère de nouveau dans la salle, juste assez longtemps pour que chacun consulte l'inventaire de ses arguments.

— Nous allons toutefois continuer à l'espionner pendant les quatre prochains mois, ajoute Rajiv pour devancer cette recommandation.

La précision de ce délai étonne François qui en fait la remarque.

— C'est parce qu'Otto Weber sera poignardé mortellement, explique Rajiv, dans un quartier mal famé d'Hambourg en janvier 2002.

— Je présume que son assassin n'a pas été retrouvé, n'est-ce-pas ? suggère Sophie.

— Bonne déduction, conclut Rajiv. Nous comptons bien, cette fois, élucider ce mystère. J'ai mes propres soupçons, mais ils ne sont que conjectures à ce moment.

— Dis toujours, l'encourage Shannon.

— Je crois que ses anciens collaborateurs n'ont pas cru à son accident. Ils se sont débarrassés de lui, car il en savait trop et pouvait les trahir.

Profitant du fait que ses trois compagnons ne le contredisent pas, Rajiv enchaîne :

— Je crois que cet Otto était le parfait vingtième pirate pour remplacer tous les autres aspirants, tels Ramzi bin al-Shibh et Mohammed al-Qahtani, dont les visas d'entrée ont été refusés. Il leur fallait trouver quelqu'un qui n'aurait aucune difficulté à franchir la frontière, comme cela, à la dernière minute. Un autre fait intéressant est que sa petite amie, Amani, celle que Laura a photographiée à l'hôpital, était la fille d'un homme de confiance d'Oussama ben Laden. Les archives montrent qu'elle aurait suivi Otto jusqu'à New York à partir d'Hambourg, le 7 septembre.

Toujours dubitative, Sophie continue à se faire l'avocate du diable :

— Comment a-t-elle fait pour passer aussi facilement la frontière ? Je croyais que le pays était en état d'alerte depuis juillet 2001.

— À l'époque, son père n'avait pas été identifié comme étant un partisan djihadiste. Il n'y avait donc aucune raison d'interdire l'entrée du pays à sa fille. Elle a falsifié son nom sur le formulaire à l'hôpital, utilisant le même qu'elle avait emprunté pour faire l'achat d'un téléphone. Nous aurions été incapables de l'identifier si ses traits n'avaient pas coïncidé avec ceux d'une jeune fille disparue à Hambourg, en janvier 2002, la journée où Otto a été tué. La disparition a été rapportée par des amies allemandes d'Amani, pas par sa famille.

Une toute nouvelle explication s'infiltre dans l'esprit de son auditoire, qu'il s'empresse de confirmer en ajoutant :

— Le rapport de police indiquait qu'Amani avait consulté un médecin. Le diagnostic était qu'elle était enceinte. Et devinez quoi ? La date prévue pour l'accouchement était neuf mois après le 11 septembre.

— Sa famille n'approuvait pas sa liaison avec un étranger, vocalise Sophie sans objection de la part des autres.

— Et en l'envoyant dans une mission suicidaire, sa famille faisait peut-être d'une pierre deux coups, ajoute Shannon.

— Est-ce qu'Amani a été retrouvée ? demande François.

— Non, répond Rajiv. Même pas son cadavre.

— Hé ! Ils ont finalement quitté l'Empire State Building ! s'exclame Shannon.

Trois paires de cornées et de cristallins retournent vers les écrans. De fait, les balises lumineuses associées à la position de Jake se déplacent maintenant vers le nord.

— Pourquoi va-t-il dans cette direction ? s'inquiète Sophie. L'appartement de Laura se trouve vers l'ouest, ainsi que la plus proche station de métro.

— Jake sait très bien que le réseau de métro va être mis complètement hors service à partir de 10 h 20, plus d'une heure après l'écrasement du premier avion, lui rappelle Rajiv. Il ne va pas tenter de se déplacer en métro.

— N'empêche que le plan était qu'il se rende à l'appartement de Laura pour avoir une bonne conversation avec Mike après la rencontre au sommet de l'Empire State Building. Alors pourquoi s'en va-t-il vers la bibliothèque de New York ?

— Tout ce que je peux penser, c'est que le jeune Mike a autre chose en tête, propose Rajiv.

— Ouais, grommelle Shannon, on n'a pas fini d'avoir des problèmes avec ce jeune blanc-bec.

Les trois autres se regardent sans ajouter de commentaires. Après huit minutes, les signaux lumineux atteignent la bibliothèque, mais n'y entrent pas. Ils font un détour vers le parc Bryant, adjacent à l'édifice.

— Peut-être vont-ils avoir cette conversation sur un banc dans le parc ? suggère François.

— Cela ne serait pas très privé, remarque Rajiv. Tout Manhattan est dehors en train de regarder les volutes de fumée.

— Il ne s'est pas arrêté bien longtemps et il retourne vers le sud ! commente Sophie après un moment. Non, maintenant c'est vers l'ouest sur la 39e Rue.

— C'est plutôt variable comme direction ! s'exclame Shannon une minute après. Il prend Broadway vers le nord !

— Ne se déplace-il pas plus vite qu'avant ? estime Sophie.

— Peut-être qu'il a pris un taxi, propose François.

— Si oui, ce taxi monte sur le trottoir, lui fait remarquer Rajiv.

— Quelle est sa vitesse ? demande Sophie.

Rajiv baisse les yeux vers la console et, en deux temps trois mouvements, peut répondre à cette question :

— Sept kilomètres à l'heure. Il est en train de courir. Il ne peut nous envoyer un message que lorsqu'il est au repos.

Les prochaines minutes se passent à constater que le trajet suivi par Jake ne ressemble guère à une ligne droite. Il s'apparente davantage à une marche aléatoire.

— Définitivement pas le chemin le plus court pour se rendre à Times Square ! interjette Rajiv.

— Il n'y fait même pas une pause, constate François.

Un signal sonore attire l'attention de Rajiv vers une autre console. Il a été convenu que seuls les messages des Navy SEALS qui se démarqueraient du flot prévu des événements seraient sélectionnés pour être transmis vers la salle de contrôle principale.

— Chen a envoyé un message indiquant que Jake lui a téléphoné pour demander qu'une camionnette les ramasse d'urgence près de Central Park, s'exclame Rajiv.

— Mais pourquoi ? s'étonne Sophie.

— C'est tout ce que je sais ! Ces communications à sens unique peuvent être tellement frustrantes !

— Jake se dirige maintenant vers Central Park, le long de la sixième avenue, les informe Shannon, qui n'a pas perdu de vue la progression des balises.

— Attaway, au volant de la camionnette la plus proche de Central Park, vient de démarrer, constate François. Il va diablement lentement.

— Il doit y avoir un embouteillage monstre avec tous ces gens qui ne peuvent plus utiliser le métro, théorise Sophie.

Un quart d'heure passe avant que Jake atteigne la bordure du parc. Sans plus attendre, il s'engage dans les sentiers pour piétons dans le coin sud-est de l'espace vert.

— Il ne rend pas la vie facile à Attaway en s'éloignant ainsi des routes, observe Rajiv.

— De toute façon, Attaway est encore très loin du parc, note François.

— Ah! Il s'approche du Center Drive, observe Sophie. Peut-être est-ce là leur point de rendez-vous?

— Que fait-il, arrêté en plein milieu de l'intersection? s'exclame Shannon après que Jake eut atteint la rue.

— Il est sous un pont, explique Rajiv. N'oublie pas que nos cartes sont à deux dimensions. C'est un sentier pour piétons qui passe sous Center Drive.

Un autre signal sonore, beaucoup plus insistant que le précédent, attire leur attention vers la console. Rajiv pousse un juron avant de s'écrier:

— C'est une demande urgente de transfert!

CHAPITRE 23

New York, le 11 septembre 2001

– Quelle journée splendide! Pas un nuage en vue! Nous avons bien fait de venir tôt ce matin plutôt qu'hier quand c'était couvert. C'est toute une vue n'est-ce pas?

Mark Walker acquiesce d'un sourire à l'enthousiasme de sa femme. Il n'est pas étranger au panorama à partir du quatre-vingt-sixième étage de l'Empire State Building. Il avait en tête de lui montrer New York à partir du cent deuxième, mais l'observatoire est fermé au public depuis deux ans. Pendant sa courte carrière au sein du NYPD[1], il a dû, à plusieurs reprises, se taper une excursion en haut du gratte-ciel, avec chacun des membres de la famille venu de Chicago. Peut-être ce flot continuel d'invités l'a-t-il convaincu de retourner vivre dans sa ville natale? Cela et le fait que Janice, alors sa fiancée, insistait pour y déménager. Elle a toutefois accepté avec entrain sa proposition de célébrer leur quinzième anniversaire de mariage en touristes à New York. Pour sa part, il tolère le rôle de guide avec patience. Il en a profité pour renouer avec son ancien partenaire de patrouille, Jeremy Miller. Celui-ci a vu son grade dans la force et son poids

---

1. New York Police Department.

augmenter avec les années, mais leur camaraderie est demeurée intacte. Mark se remémore avec nostalgie leurs frasques de jeunes agents, relatées hier au restaurant, en compagnie de leurs épouses.

Après un moment, son attention s'échappe du tapis d'immeubles en contrebas et dévie vers ses semblables sur la terrasse d'observation. Il s'éloigne de la balustrade pour permettre aux autres de mieux en profiter. Il laisse Janice faire le tour par elle-même. Paysage et bâtisses ne l'ont jamais particulièrement intéressé. La contemplation des actions des hommes, par contre, le captive, même après tant d'années comme détective privé. Il ne regrette pas le changement de carrière précipité par son retour à Chicago. Les longues heures passées à deviner les états d'âme de ses cibles l'ont rendu apte à presque lire leurs pensées. Il reconnaît la nervosité de la femme adultère, la peur de l'homme traqué. Avec les années, il a développé une habileté à lire sur les lèvres, un art qu'il trouve des plus utiles dans sa profession.

Encore faut-il qu'elles parlent anglais! Il attache donc peu d'importance au groupe de quatre Japonais qui épuise toutes les combinaisons de trois personnes par photo devant la ville. Devrait-il se porter volontaire comme photographe de groupe? Il préfère son rôle passif d'observateur. Son attention ensuite languit vers le trio qui lui tourne partiellement le dos. En arrière-plan, il peut discerner la partie sud de Manhattan.

Dans l'ascenseur, la femme et les deux hommes ont gardé le silence. Les traits du plus court des hommes et de la femme laissent deviner un lien de parenté. La galanterie et les œillades de l'autre parlent d'un certain niveau d'intimité avec la femme. Il baptise le trio frère, sœur et amant. Il a senti une tension entre eux, incompatible avec la banale visite d'un site touristique. Peut-être tuent-ils le temps avant un rendez-vous important, car ils sont tous discrètement en train de consulter leur montre.

L'amant tourne lentement la tête pour regarder au-dessus de son épaule droite. Mark le voit clairement dire : le voici. Sa compagne l'imite tout de suite et fronce les sourcils pour discerner quelque chose au loin. Pour une fraction de seconde, ses traits revêtent une expression de pure terreur, abandonnant Mark à l'incertitude d'avoir bien vu. Elle donne un coup de coude au frère présumé, qui tourne lui aussi la tête vers la droite. Mark l'aper-çoit en train de murmurer un juron. Il n'ose pas regarder dans la direction qui les intéresse, pour ne pas leur donner l'impression qu'il les espionne. Il s'étonne que leur angle de visée soit vers le ciel plutôt que vers le sol.

L'amant s'accroupit pour sortir du sac de sport qu'il a laissé à ses pieds une caméra reflex avec len-tille télescopique, pas un de ces nouveaux gadgets qui permet de voir ses photos sur un ordinateur plus tard, mais une caméra haut de gamme qui utilise encore de la bonne vieille pellicule. Mark profite d'un instant où ils lui tournent de nouveau tous le dos pour jeter un coup d'œil vers la droite. Il ne voit qu'un ciel bleu. À moins que ce ne soit cet avion au loin ? Pourquoi sont-ils si intéressés par l'appareil ?

Son attention revient au trio comme un boo-merang. L'amant semble s'être désintéressé de l'objet volant, car il ajuste son foyer sur la pointe sud de Manhattan. Ses compagnons jettent encore des regards furtifs et inquiets sur leur droite. Soudain, un touriste qui vient d'atteindre la balustrade faisant face à la rivière Hudson verbalise à haute voix ce que le subconscient du détective a gardé pour lui-même :

— Cet avion là-bas, ne vole-t-il pas un peu trop bas ?

Cette exclamation attire les autres autour de lui. Le vrombissement des moteurs est maintenant parfaitement audible, la silhouette de l'avion immanquable. Une femme lance un cri horrifié :

— Ô mon dieu ! S'il ne se redresse pas, il va s'écraser !

Mark s'oblige à fixer le trio. L'amant pointe maintenant sa caméra vers le point central de tous les regards. Il est le seul à avoir la présence d'esprit de le faire. Non ! Ce n'est pas une question de réflexe de photographe ! Il savait que cet avion allait venir ! N'a-t-il pas dit « le voici » ? Il était au courant de cette manoeuvre, Mark en est certain.

— Il va heurter la tour ! Ô mon Dieu, Ô mon Dieu, Ô mon Dieu ! hurle en crescendo la même femme qu'avant.

Quelques secondes plus tard, le détective voit l'avion disparaître, avalé par une boule de feu. La mâchoire en suspension, il n'en croit pas ses yeux. Est-ce un accident ou un acte délibéré ? Chose certaine, ce vol à basse altitude était prémédité. Il reporte ses yeux vers le trio, qu'il a maintenant de la peine à discerner entre les observateurs qui, après l'intense bang de la collision, se sont agglutinés devant le sud de Manhattan, comme si la terrasse jouait à imiter un verre de champagne incliné. Le détective se jette dans la mêlée afin de recueillir les moindres propos de ses suspects. La cohue est telle qu'il doit se contenter à nouveau de lire sur les lèvres. Celles de la femme sont dissimulées derrière ses doigts, joints en forme de tente sous son nez comme pour retenir son souffle. Le trio n'échange pas un mot pendant qu'autour d'eux les mêmes questions se chevauchent continuellement.

À un touriste qui vient tout juste de descendre de l'ascenseur, un autre explique qu'un avion vient d'entrer en collision avec la tour Nord du World Trade Center.

— Êtes-vous certain qu'il s'agissait d'un avion ?

— Oui, et lui, là-bas, a tout pris en photos.

Les deux hommes se frayent un chemin jusqu'à l'amant.

— Hé, vous ! Je vous ai vu prendre des photos pendant l'accident ! Avez-vous été capable d'identifier de quelle sorte d'avion il s'agissait ?

— Je n'ai rien photographié. J'utilisais ma caméra comme longue vue, mais le jet bougeait si vite et il était si petit que j'avais de la misère à le garder dans le cadre.

— Dommage, se plaignent les deux hommes, qui s'empressent de s'insérer entre l'amant et la balustrade pour mieux voir.

L'amant fait signe à ses compagnons de se dégager de l'attroupement. Mark discrètement fait de même. Il les suit de loin dans leur exil vers le côté nord de la terrasse, maintenant presque désert. Il est intercepté dans sa progression par son épouse qui a joint le mouvement migratoire vers le sud.

— Que se passe-t-il ? J'ai entendu comme une explosion, fait-elle visiblement inquiète et intriguée.

— Un avion s'est écrasé contre le World Trade Center, l'informe-t-il distraitement en continuant son chemin en rasant le mur vitré de l'édifice.

— Que me dis-tu là ? s'écrie-t-elle en rebroussant chemin. Attends. Où vas-tu ?

— Va voir toi-même ! Je suis occupé ! lui lance-t-il, d'un ton impatient.

À partir de ce moment, il ne porte plus attention aux sons provenant de son épouse qui s'irrite de plus en plus de son manque de répartie. Elle finit par le quitter pour compléter son périple vers le sud.

Toute la concentration de l'ex-policier se monopolise sur les expressions faciales du frère, le seul du trio à ne pas lui tourner le dos. Il décode une phrase qui lui donne une sueur froide dans le dos :

— Puisque nous sommes ici, aussi bien voir le deuxième jet frapper la tour Sud dans dix minutes.

Il s'aplatit contre le mur pour se dissimuler. Avec des doigts qu'il contrôle à peine, il sort son téléphone et compose le 911. Par habitude, il catalogue l'heure dans sa mémoire : 8 h 53. Il se rend rapidement compte que les services d'urgence sont dépassés et qu'il risque de ne pas être pris au sérieux, avec son message d'accélérer l'évacuation des tours jumelles. Il doit parler à quelqu'un ayant quelque peu d'autorité. Il lui vient en tête de contacter son ancien collègue. Il rage lorsqu'on lui suggère de laisser un message à Jeremy Miller. Il baragouine une description de ses suspects et de leur prédiction. Il exige des renforts pour appréhender ces individus. Se voyant coupé en pleine éloquence par la fin de l'enregistrement, il recompose le numéro pour finir sa tirade. Il prend une pose désinvolte qui lui fait présenter son dos au trio pendant que celui-ci le croise en retournant du côté sud de la terrasse.

Il entreprend ensuite de laisser des messages à plusieurs stations de police quand un fracas lui fait relever les yeux. Il longe rapidement le côté de l'édifice qui fait face à la rivière Hudson. Entre deux touristes, il entrevoit, le souffle coupé, l'avènement d'une nouvelle colonne de fumée. La tour Sud vient d'être percutée, comme sa voisine. Il consulte sa montre : 9 h 03. La prédiction était exacte. Une sourde rage l'envahit, maintenant qu'il est convaincu d'avoir affaire à des terroristes. Où trouver des renforts pour les arrêter ? Lorsqu'il voit un employé de l'édifice aller vers la balustrade pour, lui aussi, glaner une meilleure vue des événements, il l'intercepte dans son parcours.

— Excusez-moi. J'aimerais parler à la personne responsable de la sécurité dans cet édifice ?

— Oh ! Il n'y a pas de raison de paniquer, monsieur. Nous sommes à plusieurs milles de l'incendie. Je ne crois pas que...

— Je ne m'inquiète pas de ça, le coupe Mark.

Soto voce, il continue :

— J'ai des raisons de croire que des complices des terroristes responsables de l'attentat sur le World Trade Center se trouvent dans cette foule, devant moi. J'ai besoin de les arrêter. Je ne peux pas faire ça tout seul.

— Une attaque terroriste ! Oh là ! N'exagérons pas ! Il y a sûrement une autre explication.

— Vous n'allez quand même pas me dire que deux avions qui s'écrasent presqu'au même endroit en moins de vingt minutes est une simple coïncidence !

— Qui vous parle d'un deuxième avion ?

Mark pousse un soupir exaspéré. Le temps presse. Il jette à nouveau un regard vers le trio et surprend l'amant, en train de lorgner dans sa direction. Rapidement, il revient à l'employé.

— J'ai besoin de parler à votre supérieur le plus vite possible. Puis-je avoir son numéro de téléphone ? C'est peut-être une question de sécurité nationale. Je suis détective privé. Voici ma carte.

Mark lui tend ladite carte, repêchée de son portefeuille. L'employé oscille sur le pendule de l'irrésolution. Finalement, il décide d'en référer à son supérieur. Il retourne à son poste, d'où il communique avec le service de sécurité. On lui annonce que le chef est occupé dans une rencontre des plus extraordinaires et qu'il y a des rumeurs de fermeture de l'édifice. Cette information enfouit le problème du détective à l'arrière-plan. Il s'empresse de relayer la nouvelle à tout le personnel sur la terrasse.

Le manège de l'employé encourage le détective à penser que sa requête est en voie d'exécution. Gardant toujours du coin de l'œil le trio dans sa mire, Mark attend impatiemment que l'employé revienne lui rendre compte de ses efforts. Il voudrait avoir sous la main son appareil-photo professionnel, mais Janice a insisté pour le laisser à la maison. Elle traîne plutôt dans sa bourse un de ces petits appareils minimalistes et jetables. Comme c'est mieux que rien, Mark retourne près de son épouse pour le lui emprunter. Il la découvre dans un état émotionnel attisé.

— Oh, Mark, c'est affreux. Tous ces gens qui travaillent dans les tours ! Tu crois que ceux qui sont aux étages au-dessus des incendies vont pouvoir être évacués ?

— Je ne sais pas. J'espère bien que les accès aux escaliers n'ont pas été détruits. Pourrais-tu me passer l'appareil-photo ?

— Comment peux-tu penser à prendre des photos à un moment pareil ? s'indigne-t-elle.

— Je t'expliquerai plus tard. C'est important.

— Je ne veux plus rester ici, décide-t-elle impulsivement. Je veux rentrer à la maison. Tout de suite. Avant qu'un autre avion ne s'écrase sur cet édifice !

— Aucun avion ne s'écrasera sur l'Empire State Building, clame-t-il, pour tenter de la calmer.

— Qu'en sais-tu ?

— Juste une intuition.

Mark jette un œil en direction du trio qui ne donne pas l'impression de vouloir quitter son poste d'observation.

— Eh bien, moi, je ne reste pas ici une seconde de plus, fait-elle tout en se dirigeant vers la passerelle aboutissant à la porte qui communique avec l'intérieur de la bâtisse.

— Janice ! La caméra ! Laisse-moi la caméra !

Au même moment, l'alarme d'incendie retentit et sème l'effroi parmi les touristes. Le son galvanise Janice qui se précipite vers les ascenseurs. Plusieurs autres s'apprêtent à l'imiter lorsque chacun des membres du personnel de surveillance crie à la ronde qu'il n'y a pas de feu, seulement un avis d'évacuation de l'édifice. Ils recommandent le calme et suggèrent d'utiliser les ascenseurs ou les escaliers. Mark hésite à suivre son épouse, même si ce n'est que pour récupérer la caméra. Il regarde vers le trio, toujours immobile près de la balustrade. Il décide de se mêler à la foule qui attend l'ascenseur. À travers les fenêtres, il peut suivre les mouvements, ou le peu de mouvement des trois suspects. Ce n'est que lorsqu'un garde de sécurité les invite spécifiquement à le précéder dans l'immeuble, qu'ils se décident à quitter la terrasse. Une fois à l'intérieur, ils optent pour l'escalier.

Mark attend qu'une dizaine d'individus s'introduisent entre lui et les suspects, avant d'emprunter le même moyen d'évacuation. Après la première vingtaine d'étages de descente, ses genoux commencent à protester contre l'effort continuel d'opposition à la force de gravité. Sans compter le vague vertige qui résulte de la trajectoire en forme de spirale. Par solidarité pour ses compatriotes, qui luttent à quelques milles de là dans une situation similaire et pourtant cent fois pire, il décide d'enfouir ses plaintes dans le tiroir aux oubliettes. Il calque son rythme de descente sur celui du trio et doit souvent s'agripper à la rampe pour ne pas être bousculé vers l'avant (et le bas!) par des individus habités par la panique et par un excédent d'énergie cinétique.

Soudainement, il sent sous ses pieds et sous sa main un tremblement qui lui fait imaginer le pire : un autre avion vient de s'écraser sur l'Empire State Building! Il accélère en unisson avec les gens autour de lui, sourd aux protestations véhémentes de ses genoux et de ses chevilles. Avec un soupir de soulagement, il atteint finalement le vestibule d'entrée. Il s'étonne du déversement ralenti de la foule vers l'extérieur et en déduit que l'immeuble est indemne. Il remarque un rassemblement autour d'un téléviseur et instinctivement, telle de la cisaille attisée par un aimant, il dévie vers l'écran. Il entend des bribes de phrases à propos de l'effondrement de la tour Sud. Le coin de son œil attrape la vision de la haute silhouette de l'amant, qui emprunte la sortie vers la 34ᵉ Rue. Il continue sa filature et ignore son épouse à sa recherche. Il compte lui téléphoner dans quelques minutes pour lui proposer de le rencontrer plus tard à leur hôtel.

S'assurant de toujours garder une bonne distance, même s'il doit s'arrêter devant une vitrine pendant que l'amant rattache ses lacets de chaussure, il les suit jusqu'au parc Bryant. Il les imite pendant quelques minutes dans leur contemplation des épaisses torsades de fumée qui envahissent l'horizon, au sud. Il ne peut décoder leur conversation, car d'aussi loin, il manque de définition pour vraiment voir leurs mâchoires bouger. Il croit toutefois discerner les signes d'une dispute entre les deux hommes.

Son téléphone requiert soudain son attention. Il se trouve chanceux que l'appareil fonctionne parce qu'il a remarqué la frustration des autres propriétaires de portables, qui se plaignent du manque de service. Présumant qu'il s'agit de nouveau de son épouse, il se prépare mentalement à lui donner une explication plus satisfaisante. Il est agréablement surpris de voir le nom de Jeremy. Dès qu'il s'identifie, il entend :

— Comment diable savais-tu qu'un deuxième avion allait se fracasser contre le World Trade Center ?

— Je te l'ai dit dans mon message ! J'ai entendu un homme dire à ses deux compagnons, au sommet de l'Empire State Building, qu'il allait attendre jusqu'à ce qu'un deuxième avion, non il a dit un jet, un deuxième jet, s'écrase contre la tour Sud. Et c'est ce qui s'est passé, n'est-ce pas ? Moi, je n'ai pas vu le deuxième avion. J'étais trop occupé à contacter la police.

New York, le 11 septembre 2001

— Tu as bel et bien entendu cela ?

— Tout comme. Je l'ai lu sur ses lèvres.

— Hum.

Mark entend le scepticisme dans ce « hum ». Il s'empresse d'embrayer de nouveau son argument :

— Entendu. Vu. Peu importe. J'avais raison. Et tu peux les questionner toi-même, si tu veux, car je suis toujours sur leurs talons. Envoie-moi une patrouille pour les emmener à un poste pour interrogatoire.

— Où es-tu ?

— Au parc Bryant. Hé ! Attends. Ils bougent de nouveau !

— Écoute. Je vais tenter de t'envoyer quelques policiers. Ça ne sera pas facile, car aujourd'hui, nos ressources sont utilisées au maximum et même au-delà. Continue à les suivre. Quand j'aurai trouvé quelqu'un, je lui demanderai de t'appeler.

Mark reprend donc sa filature et s'étonne de se diriger vers le sud, le long de la sixième avenue. Il les voit tourner à droite sur la 39e Rue et se met à courir pour ne pas les avoir longtemps hors de vue. Lorsqu'il atteint le coin, il est surpris de ne pas les apercevoir. En un instant, il comprend qu'il a été détecté. Il ne les a pourtant jamais vus se retourner vers lui, sauf peut-être quand il a parlé à l'employé. Et le lacet ? Un truc pour voir s'il allait s'arrêter lui aussi ?

L'ex-policier court droit devant lui et atteint Broadway où il se met à sautiller sur place pour voir au-dessus des têtes. Il a la chance d'apercevoir le frère traverser Broadway à la course au niveau de la 40e Rue. Il prend son élan dans cette direction et se félicite de toutes ces heures passées sur le tapis d'exercice. Il trouve même assez de souffle pour dégainer son téléphone et laisser un message à son ami à propos de ce nouveau développement.

D'un côté comme de l'autre, la prétention de faire semblant d'ignorer l'autre est abandonnée. Chaque fois que Mark les perd de vue et qu'il doit choisir entre deux ou trois directions, il a la bonne fortune d'adopter d'instinct celle que ses fugitifs ont empruntée. Le fait qu'il peut demander aux passants s'ils ont vu courir deux hommes et une femme aide aussi à rétrécir l'éventail des possibilités.

Après maints détours, il aboutit sur Times Square. La place est bondée. L'attention de la foule est centrée sur l'écran géant qui diffuse les actualités au-dessus de sa tête. Ses proies n'ont qu'une cinquantaine de pieds d'avance quand il reçoit l'appel tant attendu des renforts. Il a tout juste fini de donner ses coordonnées et la description de ses suspects, qu'un grondement vers le sud interrompt toute velléité de poursuite. Au même instant, un cri s'échappe de toutes les poitrines à la vue, sur l'écran, de l'affaissement de la tour Nord. Mark ne peut s'empêcher de participer à cet instant d'effroi collectif. Lorsqu'il reprend conscience de la raison de sa présence sur cette place, il a perdu de vue le trio. Il tourne plusieurs fois sur lui-même, interroge de droite à gauche, grimpe à un lampadaire pour surplomber la hauteur moyenne des gens. Rien n'y fait. Ils ont disparu. Il pourrait jurer qu'ils se sont servis de la destruction de la tour Nord comme diversion. C'est une idée ridicule. Comment auraient-ils estimé l'instant exact d'un tel événement ?

Comme il ne peut rester là à attendre, il décide de marcher rapidement le long de la septième avenue, après avoir prévenu ses nouveaux alliés de sa déconfiture. Il sait que son choix peut tout aussi bien l'éloigner de ses cibles que l'en approcher. Ils peuvent même s'être réfugiés dans un magasin et observer son départ. Le poids de la défaite pèse lourdement sur lui, ralentissant ses pas. Dix minutes plus tard, la sonnerie de son téléphone lui donne un prétexte pour s'arrêter. Les policiers l'informent qu'une autre patrouille a répondu à leur annonce générale. On a entrevu trois individus répondant aux caractéristiques décrites. Le trio se déplaçait vers le nord, le long de la sixième avenue au niveau de la 56e Rue. Cette nouvelle redonne des ailes au détective. La patrouille qui lui est assignée lui annonce qu'elle longera cette section de l'avenue dans cinq minutes. Mark compte bien y arriver en moins de temps que cela.

Victoire! Après un sprint, le détective reconnaît devant lui l'amant à sa haute stature. Il est en train de traverser la 59e Rue. Central Park déploie sa verte splendeur en arrière-plan. Les trois fuyards se mêlent mieux à la foule en marchant à son rythme. Il transmet tout de suite cette information aux policiers qui lui confirment qu'ils sont proches. Il atteint l'intersection de la rue au même moment qu'une voiture de police arrête au feu rouge. Mark reconnaît le numéro de la patrouille qui lui est affectée. Il leur fait signe. L'agent dans le siège du passager descend tout de suite sa fenêtre.

— Je suis Mark Walker, dit le détective en s'approchant de la voiture. Celui avec qui vous communiquez depuis près d'une demi-heure. Les suspects viennent tout juste de traverser la rue et se sont dirigés par là.

L'ex-policier accompagne son renseignement d'un index pointé vers la continuation de la 6ᵉ Avenue qui, dans Central Park, se métamorphose et adopte le nom de Central Drive. Lorsqu'il regarde dans cette direction, il voit l'amant regarder derrière lui et prendre note de sa présence.

— Zut, je crois qu'il m'a vu, car il vient de recommencer à courir ! informe-t-il les policiers.

— Vite, montez derrière, le prie l'un d'entre eux. Le feu va bientôt changer.

Mark obéit le plus vite qu'il peut. La voiture démarre quelques secondes après et s'engage dans la promenade qui vire vers la gauche, environ cent pieds après avoir traversé la 59ᵉ Rue.

— Où sont-ils ? demande le chauffeur après un moment.

— Je ne vois personne qui correspond à la description que vous avez faite, commente l'autre passager.

— Arrêtez ! Nous sommes allés trop loin ! leur commande Mark. Ils ont emprunté les pistes piétonnières. J'ai cru voir le début d'un escalier après cette statue d'un cavalier, là-bas.

— Je peux difficilement rebrousser chemin. Cette promenade est à sens unique.

— Arrêtez, je vous dis. Je vais continuer à pied.

— Je vous accompagne, décide le policier passager.

Mark perd encore de précieuses secondes à tenter d'ouvrir la portière, avant de rappeler au chauffeur de débarrer la serrure.

Les deux hommes courent ensuite vers l'escalier qui les amène dans une partie boisée, proche de l'étang, en contrebas de la frénésie des artères citadines.

— Maintenant, que faisons-nous ? demande le policier. À droite ou à gauche ? On se sépare ?

— Non, décide Mark. Si je les retrouve, j'ai besoin que vous soyez avec moi. Prenons la gauche. C'est plus boisé. Moins à découvert. Plus de cachettes.

Pendant plus d'une minute, ils suivent un sentier ombragé qui pourrait faire oublier la présence de la ville à quelques centaines de pieds derrière eux. Toutefois, de hautes bâtisses leur servent de sentinelles dans le lointain et le bourdonnement des moteurs les poursuit encore. Finalement, ils atteignent un carrefour relativement à découvert qui multiplie les possibilités de directions à prendre. Un des embranchements rejoint le Center Drive. Sur cette promenade, ils distinguent une voiture de police stationnée. Le compagnon de Mark confirme par radio qu'il s'agit bel et bien de son partenaire et que celui-ci n'a pas vu les suspects venir vers lui. Ils doivent donc décider entre continuer vers le nord, sur un sentier vaguement parallèle à la promenade, ou tourner à droite. Le conducteur propose de poursuivre son chemin sur la promenade, jusqu'à un pont croisant le réseau de pistes pour piétons. De ce belvédère, il aura une bonne vue de la sortie du sentier qui se dirige vers le nord.

Les arbres le long de ce chemin sont plus parsemés, laissant le sol s'amincir au point de dévoiler de larges affleurements de roches érodées et de vastes régions de gazon, qui s'accroche au terrain comme il peut. Leur visibilité est moins réduite qu'avant. Quelques minutes plus tard, leur choix du sentier nord est récompensé lorsque Mark et son aide aperçoivent le trio, loin devant eux. Ils pressent davantage le pas tout en communiquant la bonne nouvelle au chauffeur. Celui-ci leur répond qu'il est en position, en haut du pont. Une nouvelle communication radio grésille bientôt dans le récepteur du policier coureur :

— Je les ai vus! Malheureusement, ils m'ont repéré eux aussi, je crois. Dès qu'ils sont sortis du sentier, ils ont pris la droite, s'éloignant ainsi de moi. Avec mes jumelles, je les ai vus continuer jusqu'à ce qu'ils prennent le premier sentier vers le nord, celui qui passe devant le centre des visiteurs où on joue aux échecs et aux dames. Je vais continuer jusqu'au prochain pont, stationner et tenter de leur couper la route au nord.

L'exécution de ce plan est malheureusement retardée par l'embouteillage qu'il a créé en se garant dans la voie pour les calèches. Une vieille jument a mal supporté le stress de dévier vers la voie des automobilistes. Ayant toutefois réussi la manœuvre, elle prend son temps pour dépasser la voiture de police et se venge en bloquant les deux voies dans son retour vers le côté droit de la chaussée. Le policier rage, mais hésite à se servir de sa sirène de peur d'effrayer davantage l'animal. Après une minute qui lui semble une heure, le policier réussit à dépasser la calèche. Il s'arrête quatre cents pieds plus loin et stationne malicieusement une fois de plus dans la voie réservée aux chevaux. Cette fois, il fait attention de ne pas être vu à partir des sentiers pour piétons en contrebas.

Il vient tout juste d'atteindre la rambarde du pont, lorsqu'il entrevoit les trois individus suspects disparaître dans le tunnel sous ses pieds. Il relaie cette information à son partenaire, qui réplique en lui disant qu'ils ont presque rejoint l'intersection avec le chemin qui se rend vers le tunnel sous le pont.

Le chauffeur traverse la promenade au pas de course et se penche au-dessus du parapet pour renouveler le contact visuel avec ses cibles. Il est surpris de ne voir personne, même pas un autre passant capable de lui dire ce que les suspects font à l'intérieur du tunnel. Un rapide coup d'œil aux alentours le convainc que le trio n'est pas sorti de ce côté du tunnel. Il enjambe la balustrade et déboule presque la pente herbacée que forme le pied du pont. Il évite ainsi la boucle plus douce et plus longue qui relie la promenade au sentier et qui lui aurait fait perdre de vue la sortie du tunnel. La perception d'un bourdonnement engendre en lui la peur d'avoir attisé la colère d'un nid de guêpes dans sa descente, mais il ne fait la rencontre d'aucun insecte.

Il atteint finalement l'asphalte du sentier et pousse un juron, en découvrant que le tunnel est complètement vide. Les suspects ont dû rebrousser chemin. Il est rasséréné par la pensée que le trio ne peut que tomber dans le filet de son partenaire et du détective Walker. Le policier s'engage dans le tunnel. Quelle n'est pas sa surprise, lorsque le soleil caresse de nouveau sa peau, de voir s'approcher au pas de course ses alliés et personne d'autre !

— Ne les avez-vous pas vus venir vers vous ? les apostrophe-t-il.

— Non. N'as-tu pas dit qu'ils étaient entrés dans ce tunnel ? réplique son partenaire.

— Oui, mais ils ne sont jamais sortis de l'autre côté. Ils ne peuvent pas être bien loin ! Voyiez-vous l'entrée du tunnel au moment où je vous ai appelé ?

— Non, pas tout à fait. Il nous a fallu peut-être cinq secondes pour atteindre l'intersection.

— Ça semble bien court pour rebrousser chemin et grimper les talus. Allons voir au centre des visiteurs s'ils sont passés par là.

Après une heure de recherche dans les environs, les policiers doivent reconnaître avoir perdu la trace des fugitifs, comme s'ils s'étaient évaporés.

CHAPITRE 24

Californie, le 6 août 2023

Une main sur l'épaule de Jake, l'autre pressée contre son flanc pour amortir la crampe qui lui scie l'abdomen, Laura essaie de retrouver son souffle. Elle balaie des yeux le nouvel environnement qui l'entoure. Devant elle, Mike est plié en deux et se maintient en équerre, les mains juste au-dessus de ses genoux. Il halète lui aussi bruyamment. Derrière, elle découvre une fenêtre panoramique qui donne sur une pièce placardée d'écrans géants affichant des cartes. De cette salle, deux hommes et deux femmes les observent et échangent des paroles qu'elle ne peut pas entendre. Laura présume que la plaque de verre qui les sépare est trop épaisse pour laisser passer le son. Elle reconnaît, par les descriptions que Jake lui a préalablement fournies, les salles de transfert et de contrôle. L'immense horloge numérique qui occupe l'espace au-dessus de la porte de la salle de contrôle indique l'an 2023.

Un des hommes derrière la vitre imite le geste du pouce pointé en solitaire au-dessus d'un poing fermé que Jake vient d'exécuter. Retrouvant progressivement son souffle, Laura siffle son admiration :

— Oh, là, là ! Il y a un bien bel homme là-bas.

Regrettant tout de suite sa spontanéité, elle ajoute :

— Pas aussi beau que toi, bien sûr !

Jake lui sourit, nullement blessé par la réaction de Laura à la vue de François. Au fil des années, il a bien des fois été témoin de l'effet que son ami produisait sur la gent féminine. François et Rajiv échangent un sourire amusé. Ce dernier presse un commutateur sur la console qui déclenche la marche du microphone dans la salle de contrôle.

— Bienvenue en 2023. Je suis le docteur Rajiv Sandhu. Mademoiselle Simpson, permettez-moi de vous dire que je suis flatté par votre compliment.

— Oh, mais ce n'est pas… commence-t-elle, avant d'enregistrer l'impolitesse de la correction qu'elle a presque proférée.

Rajiv se sait hors concours, avec ses bourrelets qui l'apparentent à Bib, la mascotte des guides Michelin. Il n'a pas pu s'empêcher cette taquinerie. Si Laura n'était pas déjà cramoisie d'avoir couru, elle afficherait sûrement son embarras en changeant de couleur. Elle bafouille toutefois, en guise d'excuse :

— Je ne pensais pas que vous pouviez m'entendre.

Notant la mine réjouie de tout le monde, elle décide de partager l'hilarité générale. Rajiv interrompt ce moment de détente en les invitant à passer de l'autre côté de la vitre.

— Mais avant, je suis trop curieux pour attendre une seconde de plus. Jake, pourquoi as-tu opté pour un transfert d'urgence ?

L'autre soupire.

— Au sommet de l'Empire State building, j'ai vu un homme en train de regarder dans notre direction à plusieurs reprises. Après l'évacuation de l'édifice, j'ai testé s'il allait continuer sa surveillance. Il nous a suivis jusqu'au parc Bryant. Comme je ne voulais pas l'avoir sur les talons jusque chez Laura ou au hangar, nous avons tenté de le semer. Il était des plus tenaces. Un vrai bouledogue, probablement un policier en civil. Lorsqu'il a reçu le renfort de policiers en uniforme et motorisés, j'ai compris qu'il me fallait à tout prix éviter un interrogatoire. Dans le premier endroit désert et un tant soit peu camouflé que j'ai pu trouver, j'ai demandé le transfert.

— As-tu la moindre idée du pourquoi de cette surveillance ?

— Monsieur Stanford a présumé que j'avais averti la police, répond Mike, avec le même air offensé qu'il a eu dans le parc, lorsque Jake l'en a accusé.

Puis, toisant le Navy SEAL en dépit de la différence de taille, Mike ajoute :

— Voulez-vous maintenant vérifier si j'ai sur moi la puce électronique qui aurait permis aux policiers de ne pas perdre ma trace ?

— Avouez qu'elle aurait expliqué pourquoi ils nous collaient au derrière aussi facilement ! réplique Jake, avec véhémence.

— Ça suffit ! intervient Laura. Mike a juré qu'il n'avait rien dit à la police et moi je le crois. D'autant plus qu'il n'a pas hésité, au moment du transfert, à entrer dans le cercle. S'il avait été de mèche avec la police, il n'aurait pas collaboré.

La tension dans les muscles de Jake se dissipe en un relâchement des épaules. S'adressant à Mike d'une voix repentante, il déclare :

— Je vous dois des excuses.

— Excuses acceptées, fait Mike, en lui tendant la main.

Jake s'empresse d'en faire autant.

Le groupe de personnes réuni dans la salle de contrôle assiste à cette réconciliation sans dire un mot. Après un moment, toutefois, Rajiv revient à la charge :

— Aucune autre explication, alors ?

— Je ne sais pas. Le soir d'un incident près d'un bar, un policier soupçonneux a eu un doute sur mon identité. Il a peut-être décidé de me faire suivre, puis de m'arrêter pour pouvoir m'interroger. Qui sait ?

— Bon. Peu importe pour l'instant, conclut Rajiv. Venez nous rejoindre pour que nous puissions nous présenter en bonne et due forme.

* *
*

Pour quitter la salle de transfert, le trio doit passer par un sas qui date des premières expériences, où la quarantaine était requise pour toute substance provenant d'une simulation. Mike profite du passage entre les deux salles pour commencer la liste interminable de questions auxquelles il aurait dû obtenir les réponses avant de s'aventurer ici.

— Cette horloge dans la salle où nous allons, je présume qu'elle donne l'heure exacte ?

— Oui, c'est l'heure locale, celle du Pacifique, car nous sommes maintenant près de San Francisco, lui répond Jake. Et comme vous avez pu voir, c'est l'heure à la nanoseconde près.

— Il est donc environ quatre heures du matin !

— Voilà pourquoi c'est si tranquille, ici. Le comité d'accueil officiel avait planifié notre arrivée pour neuf heures du matin. Une heure plus convenable pour eux.

Le trajet est trop court pour que Mike puisse passer à sa prochaine question. Le Dr Sandhu est le premier à s'avancer vers eux. Il leur demande de l'appeler Rajiv et leur serre chaleureusement la main. L'autre homme prend ensuite position auprès de Rajiv.

— Mike. Laura. Je vous présente monsieur François Maillard, dit Jake en désignant le bel homme. François est….

Avant même que le susmentionné avance la main vers Mike, qu'il regarde amicalement dans les yeux, Laura coupe les présentations en s'écriant :

— Ô mon Dieu ! Vous êtes l'homme du 18e siècle !

— Ah ! J'en déduis que Jake vous a déjà parlé de moi ! Dans ce cas, permettez-moi de vous accueillir ainsi.

François accompagne ses mots de bienvenue d'un baisemain protocolaire. Le plaisir évident que Laura manifeste rappelle à François combien souvent il a constaté que même la femme la plus libérée du 21e siècle ne reste jamais insensible à cet ancien usage. Laura se croit obligée de faire une révérence improvisée.

— Qu'est-ce que c'est que cette histoire de 18e siècle ? s'exclame Mike, impatienté.

— Je ne sais pas ce que Jake vous a dit à propos de la première simulation.

— Rien. À part le fait que la simulation dont je suis issu est la deuxième.

— Ah ! Je vois. Il se trouve que l'année d'initialisation de la première était 1767. Comme vous et Laura, je suis extrait d'une simulation. Je me suis porté volontaire pour vous accueillir, en pensant que mon expérience de la transition entre deux époques pourrait vous être utile. Sans oublier que le Mike d'aujourd'hui est un de mes meilleurs amis, parmi ceux qui m'ont le plus aidé à m'adapter à mon nouvel environnement.

Les yeux de Mike se sont agrandis dès que son cerveau a enregistré le chiffre. C'est avec une intonation d'incrédulité qu'il répète :

— 1767, vous dites ? Je ne peux m'empêcher de penser que mon adaptation se fera plus facilement que la vôtre. Même au rythme des innovations que l'on connaît dans ce siècle, je présume que le monde a moins changé en vingt ans qu'en deux cents ans !

— Je ne peux qu'être d'accord avec vous, convient François. Puis-je vous présenter mon épouse, la docteure Sophie Dumouchel ?

Avec énergie, Sophie tend la main au jeune Mike, en se disant charmée de le rencontrer. Il hésite à la toucher et explique sa réticence en disant :

— Est-ce que vous vous attendez à ce que je vous embrasse la main ?

Sophie émet un rire amusé avant de le rassurer :

— Non. Absolument pas. Une poignée de main bien ordinaire suffit. J'appartiens aux années 2000. Remarquez que j'ai tout de même passé un an et demi au 18e siècle. C'est là que j'ai rencontré François.

Mike est époustouflé de l'aisance avec laquelle la brunette a décrit leur extraordinaire rencontre, comme si elle avait eu lieu de façon anodine, lors d'un échange culturel entre pays. Il reste muet pendant que Sophie est présentée à Laura.

Jake fait ensuite un geste vers l'inconnue qui se tient quelque peu à l'écart. La détaillant, Mike remarque ses yeux cernés. Vraiment, elle ne paie pas de mine. Ses cheveux se rebellent contre la contrainte d'un élastique sur sa nuque. Ses vêtements sont défraîchis par une trop longue journée. Il concède que leur arrivée intempestive ne lui a sans doute pas permis de remédier à la situation.

— Mike, Laura, la docteure Shannon Summers,
Laura s'écrie « Shannon ! » en se déclarant ravie de la connaître. Elle enveloppe l'inconnue d'une chaleureuse accolade qui, de toute évidence, est reçue avec le même enthousiasme. Son frère est muet d'ébahissement.

— J'ai tellement entendu parler de vous, se réjouit Shannon. Je suis aux anges d'enfin pouvoir faire votre connaissance.

— Et moi de même ! trompette Laura. J'ai aussi terriblement hâte de rencontrer vos filles. Sandra et Abiguail, n'est-ce pas ?

Extrêmement irrité de se retrouver, une fois de plus, dans une situation où il ne comprend pas ce qui se passe, un état de chose qui ne lui est pas du tout familier, Mike finit par exploser :

— Mais qu'est-ce que c'est que tout cela ? Tu connais déjà tout le monde ici ou quoi ? Jusqu'au nom de leurs enfants !

Laura se rebiffe en ripostant de façon cinglante :

— Tu les connaîtrais toi aussi, si tu n'avais pas passé la semaine à corriger une erreur qui ne t'empêchait même pas d'obtenir ton doctorat. Avec toi, le travail passe toujours en premier.

— Tiens, pourquoi est-ce que cela ne me surprend pas ! murmure Shannon, sarcastique, pas assez discrètement pour que Mike ne l'entende pas.

Il lui lance un regard contrarié.

— Je ne pouvais quand même pas soumettre une thèse en sachant qu'il y avait une erreur dedans! D'ailleurs, en principe, nous étions supposés passer l'après-midi à discuter de ce à quoi je devais m'attendre en effectuant un transfert. Rien ne s'est passé comme prévu. Nous ne pouvions pas parler, car nous étions continuellement entourés de monde en état d'affolement total. Après, nous avons passé près d'une heure à courir, une occupation dont je ne raffole pas.

— Le jogging et la moindre activité bonne pour la santé, grommelle Shannon.

Mike décide de faire comme s'il n'avait rien entendu et demande avec courtoisie :

— Jake vous a appelée docteure. Quelle est votre spécialisation ?

— La médecine. Je suis le type de docteure dont vous n'écoutez pas les conseils.

— Quel rôle jouez-vous dans ce projet ? continue-t-il bravement, mais de moins en moins disposé à ignorer son antagonisme.

— Je suis chargée d'examiner tout spécimen vivant extrait de la simulation. Malheureusement pour moi, vous semblez tomber dans cette catégorie.

Cette fois, l'illusion de conversation polie est pulvérisée.

— Si vous avez posé votre candidature pour faire partie du comité d'accueil et avez été acceptée, il doit y avoir un sérieux problème ! énonce-t-il, avec aigreur.

L'expression de Shannon signale que les clairons viennent de sonner l'ouverture des hostilités.

— Je n'ai jamais voulu faire partie du comité d'accueil, déclare-t-elle, hautaine. Je ne suis ici que parce que vous êtes arrivé trop tôt. Si on m'avait demandé mon avis, il n'y aurait eu aucune raison de réunir un comité. Il n'y aurait pas eu de transfert. Cette idée de remplacement par une version plus jeune est totalement ridicule.

— Je suis désolé que ce soit là votre opinion, répond-il.

Après un court moment de réflexion, il ajoute :

— Non, je ne suis pas désolé. Je me fous de votre opinion ! De toute évidence, il y a des gens plus importants que vous qui n'étaient pas de cet avis. Je suggère qu'à partir de maintenant nous tentions de nous éviter dans la mesure du possible.

Shannon lève les yeux au ciel et grogne :

— Comme je souhaiterais que ce soit faisable ! En attendant, je vais aller annoncer votre arrivée à Sa Majesté !

Sur ces mots, elle quitte les lieux d'un pas décidé, sans un regard en arrière. Dès que la porte se referme sur elle, le jeune Mike prend le reste des occupants de la pièce à témoin :

— Ah ! Mais quelle mégère, cette femme !

Comme sa remarque n'a pas l'effet attendu, il enchaîne bientôt en maugréant :

— Qu'est-ce qu'il y a de si drôle ?

La réponse se fait attendre, car ils sont tous pris d'un fou rire nerveux. Laura le regarde avec un mélange de pitié et de liesse qui le frustre encore davantage. Après avoir essuyé une excrétion liquide au coin de l'œil avec son majeur, François retrouve assez de contenance pour baragouiner :

— Comment vous dire ? Il se trouve que la docteure Summers… euh… bien… a épousé le docteur Michael Simpson en 2012 !

À propos de l'auteure

Née à Montréal, Louise Royer habite à Mississauga, en banlieue de Toronto, depuis près de trente ans. Elle enseigne la physique et la chimie dans une école privée.

Ses études et sa carrière l'ont amenée d'un bout à l'autre du pays. Elle a d'abord étudié la physique à l'Université de Montréal où elle a obtenu un baccalauréat. Puis elle a fait son doctorat à Vancouver, au département d'océanographie de l'Université de la Colombie-Britannique. Enfin, elle a poursuivi des recherches postdoctorales au département d'océanographie de l'Université Dalhousie, à Halifax, et au Centre canadien des eaux intérieures à Burlington, en Ontario.

Elle a d'ailleurs publié de nombreux articles scientifiques avant de se consacrer à l'écriture de son premier roman, *iPod et minijupe au 18ᵉ siècle*, qui a connu un vif succès. Puis, les aventures de

Sophie et François lui ont inspiré les deux *épisodes suivants* de la série : *Culotte et redingote au 21ᵉ siècle* et *Bastille et Dynamite.* Dans *Téléportation et tours jumelles*, Louise Royer continue de laisser libre cours à son insatiable imagination en transportant de nouveau ses personnages dans le passé, plus précisément autour du mois de septembre de l'an 2001 à New York.

Pianiste, Louise Royer passe ses temps libres à chanter dans une chorale, à prendre des cours de danse sociale et à pratiquer ses sports favoris : ski de fond, camping, canotage et randonnée pédestre. Mais, sa véritable passion demeure sans contredit la lecture, et ce, depuis sa tendre enfance. Pas étonnant qu'elle prenne aujourd'hui autant de plaisir à mettre sur papier les fruits de sa science et... de son imagination.

TABLE DES MATIÈRES

14/18

Collection dirigée par Renée Joyal

BÉLANGER, Pierre-Luc. *24 heures de liberté*, 2013.

BÉLANGER, Pierre-Luc. *Ski, Blanche et avalanche*, 2015.

BÉLANGER, Pierre-Luc. *Disparue chez les Mayas*, 2017.

CANCIANI, Katia. *178 secondes*, 2015.

DUBOIS, Gilles. *Nanuktalva*, 2016.

FORAND, Claude. *Ainsi parle le Saigneur* (polar), 2007.

FORAND, Claude. *On fait quoi avec le cadavre ?* (nouvelles), 2009.

FORAND, Claude. *Un moine trop bavard* (polar), 2011.

FORAND, Claude. *Le député décapité* (polar), 2014.

FORAND, Claude. *Cadavres à la sauce chinoise* (polar), 2016.

LAFRAMBOISE, Michèle. *Le projet Ithuriel*, 2012.

LAROCQUE, Jean-Claude et Denis SAUVÉ. *Étienne Brûlé. Le fils de Champlain* (Tome 1), 2010.

LAROCQUE, Jean-Claude et Denis SAUVÉ. *Étienne Brûlé. Le fils des Hurons* (Tome 2), 2010.

LAROCQUE, Jean-Claude et Denis SAUVÉ. *Étienne Brûlé. Le fils sacrifié* (Tome 3), 2011.

LAROCQUE, Jean-Claude et Denis SAUVÉ. *John et le Règlement 17*, 2014.

MALLET-PARENT, Jocelyne. *Le silence de la Restigouche*, 2014.

MARCHILDON, Daniel. *La première guerre de Toronto*, 2010.

MARCHILDON, Daniel. *Otages de la nature*, 2018.

OLSEN, K.E. *Élise et Beethoven*, 2014.

OLSEN, Karen. *La rançon d'Atahualpa*, 2018.

PÉRIÈS, Didier. *Mystères à Natagamau. Opération Clandestino*, 2013.

PÉRIÈS, Didier. *Mystères à Natagamau. Le secret du borgne*, 2016.

RENAUD, Jean-Baptiste. *Les orphelins. Rémi et Luc-John* (Tome 1), 2014.

RENAUD, Jean-Baptiste. *Les orphelins. Rémi à la guerre* (Tome 2), 2015.

ROYER, Louise. *iPod et minijupe au 18ᵉ siècle*, 2011.

ROYER, Louise. *Culotte et redingote au 21ᵉ siècle*, 2012.

ROYER, Louise. *Bastille et dynamite*, 2015.

ROYER, Louise. *Téléportation et tours jumelles*, 2018.

Couverture : (photomontage) © skvalval (Shutterstock Images),
© spiritofamerica (Adobe Stock)
Photographie de l'auteur : Magenta Studio Photo – Square-One
Maquette et mise en pages : Anne-Marie Berthiaume
Révision : Frèdelin Leroux

9 782895 976516

Printed at Repro India Ltd.